エアモデル・ウェザリングマスター
林 周市の世界

Air modeling weathering master The world of Shuichi Hayashi

林 周市／著

グラマン F-14A トムキャット
タミヤ 1/32 インジェクションプラスチックキット
TAMIYA 1/32 GRUMMAN F-14A TOMCAT
Injection-plastic kit

TAMIYA 1/32 scale
GRUMMAN F-14A TOMCAT

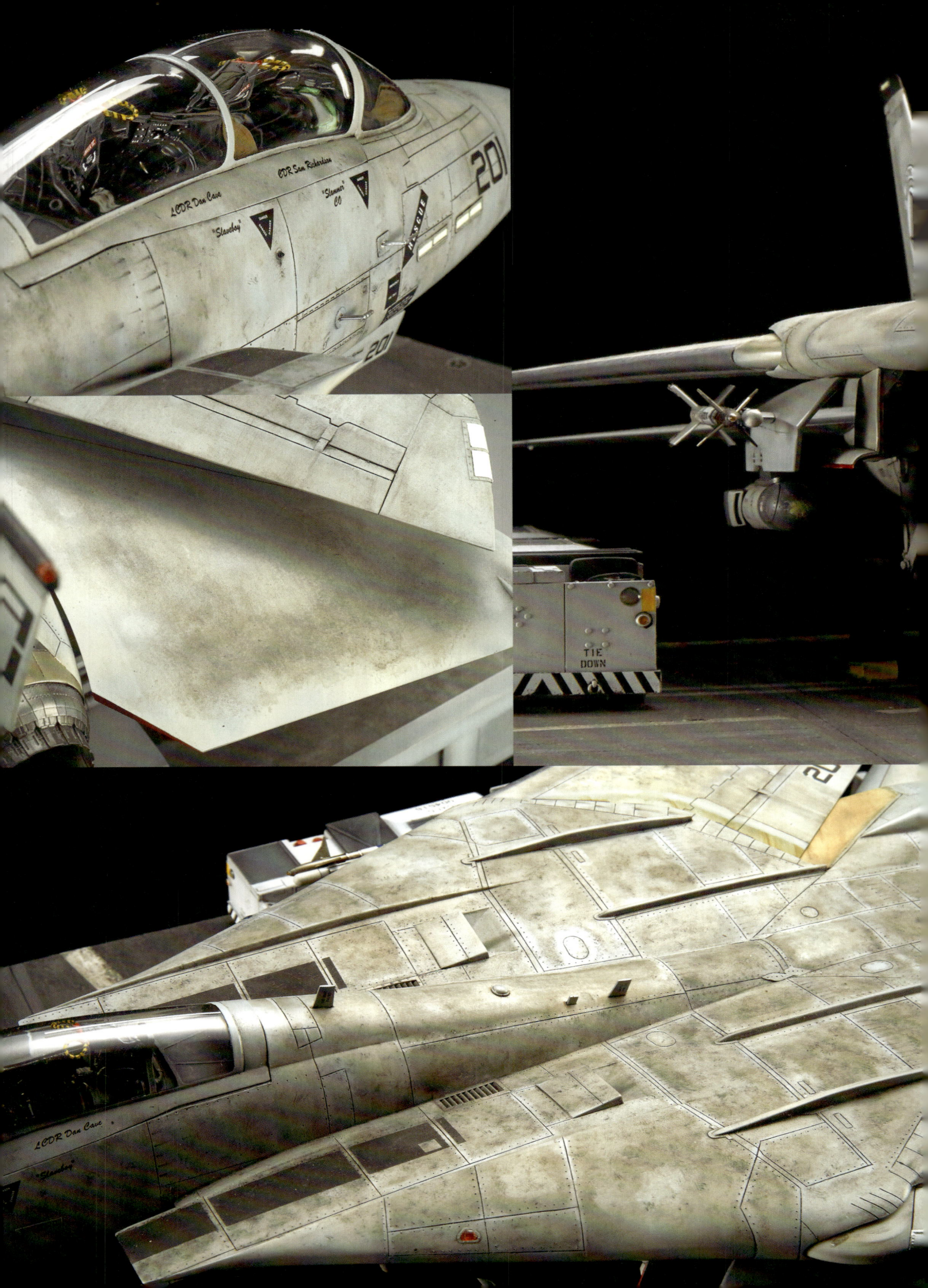

〝甲板に固定された艦載機〟をテーマに製作した作品（2015年製作）。タミヤのトムキャットは自身の苦手課題として、主に組み立てや改造面において手を入れる箇所がいくつかありそれを習得したいがために製作した側面もある。結果としては内容の濃い作品になったが、ひとつの作品に詰める課題としてはその内容が過多になりすぎた感があり、そのためモチベーション維持が大変だった。この時期はまだ艦載機塗装のノウハウが試行錯誤の途中であり、塗ってはやり直しの繰り返し、ウェザリングの塩梅の感覚もつかみきれていなかったと思う。いずれにしても自身の成長の過程を楽しむうえでは、今となっては貴重な作品である。また、自身の作品への満足感とは裏腹に、SNSにおいてだが他の作品を差し置いて世界的な評価が異常なほど高かったのも事実で、この作品を機にファンが急増した経緯もある。

This work has produced the state that a carrier aircraft is fixed on a flight deck. It was made in 2015. There were several parts which require assembly and remodeling for this kit. I wanted to improve my work and technical practice with that. It took enormous time for assembly, remolding process and painting with that, so it was serious to maintain a mind to complete. I have to accomplish to give my experiential value. Therefore I was learned by trial and error, so this work has many important message for me even now. I was not good at paint about carrier aircraft at this time including weathering skill. This work has many small mistakes, and there is also failure on the expression which isn't intended, but I think those are the good characteristic. This work was related to a small dirty expression in particular. That was a surplus expression, but the resolution of the work is very high. There were not so much satisfactions in this work for me, but it was highly regarded worldwide on SNS. I succeeded to increase a lot of friends with that and that was all of my pleasure to release this work.

ミル Mi-24V ハインドE
トランペッター 1/35 インジェクションプラスチックキット
TRUMPETER 1/35 Mil Mi-24 "Hind-E"
Injection-plastic kit

TRUMPETER 1/35 scale
Mil Mi-24 "Hind-E"

　自身としては、そもそもあまりヘリコプターを作らないのだが明確な構想があったので製作した（2017年製作）。モチーフにしたのは旧東ドイツの機体で、退色しきった迷彩塗装を再現するのが狙いだった。実機の写真の画像をいくつか用意し、色味合わせや退色の「癖」などをつぶさに観察したうえで塗装を行なった。結果としては、ほとんど実機をトレースしたかのような写実的な仕上がりで、模型的なメリハリはあまり感じられないが、迷彩塗装の退色表現については経験値が上がったと思う。またモチーフとした機体はすでに退役、展示されている「死んでる機体」であるので、そのままやれば、廃棄の機体作品になる。そこをどう「生きた機体」として模型とするかその辺の塩梅の判断が難しかった。ウェザリングの手法も若干AFVを意識しており、また、キャノピーの光沢感や排気のスス汚れは是非ともやってみたい表現だった。ハインドは非常に人気のある攻撃ヘリなので、その形状がある意味独特の塗装表現といった作品性を後押ししているような気がする。

I had a plan to represent nice theme since I knew this kit. But it took time to get a kit itself because of production end. When it was possible to get by an online auction, I was happy to start to built it. There is abbreviation in reproduction inside the fuselage for this kit. There is an insufficient part to make painting succeed. I'd need the remodeling which is slightly before painting. I consulted an East German abrogated fuselage from internet site. Faded camouflage painting was a fascinating idea for me to represent in my painting. Especially, the camouflage painting of Russian aircraft spoiled very much, and it is interesting to drop into model painting expression. However, I had no specific idea of painting so I try to draw and reflect it from actual images as real as possible. It was try and errors. An exhibited fuselage can't generally fly, so It was necessary to add the expression which can seems to fly. Because I wanted to represent a live aircraft.

I tried as it was a living fuselage by doing transparency of a canopy and a soot expression politely and impressive. But I had to express the parts which isn't seen by the image. I needed experience and the sensitivity very much. Sensuously, dirt on a helicopter seems to be tanks or other ground vehicles so I put some essences of them into my work. In that time, there were no big wings in the helicopter compared with the aircraft models which I usually made , so a painting expression is limited but there are much point to wrestle to represent such as a main rotor and armament.

マクダネル ダグラス F/A-18D ホーネット
アカデミー 1/32 インジェクションプラスチックキット
ACADEMY 1/32 McDonnell Douglas F/A-18D HORNET
Injection-plastic kit

ACADEMY 1/32 scale
McDonnell Douglas F/A-18D HORNET

このキットは過去に数点製作しているので、基本的には改造組み立てに拘った部分はない。この作品で拘ったことは、塗装に際する色味の選択である（2017年製作）。色味と言っても単純にはグレー系だが、通常の指定色もあるがこれを無視して、より模型映えと実機の質感のバランスを追及するために自分で納得のいく色味を選択、調整をして塗装を行なった。メリハリが効き過ぎてある意味実機らしくない作品なのだが、このホーネットを製作した際のレシピで同じものを作っても、二度と同様なものが作れない偶然の産物ともいえる作品で、自身を代表するマスターピースとして非常に大切な作品と言える。すでにこの時期は、SNSで知り合った友人内に米軍などの軍事関係者が何名かいて、不明な点は彼らとやり取りをしながら塗装を進めるのが楽しかった。とりあえず気の向くままに手を動かし、それが良くも悪くも結果となって出た。こういう偶然のヒットは10作やって1作生まれるか、そうでないか。作っている時より振り返っている時間の方が長く、何が良かったのかもよく分からなかった。ただ、この作品をきっかけにして表現の感覚が実機から自分の自由な感性に依った気がする。

I have already built and paint several same kits in the past. There are no parts where I remodeled this in particular and stuck to assembly, but several parts are replaced by improvement resin parts. Commitment to this work is an adjustment of the color taste. I don't like to use the same color as the past. I was holding dissatisfaction in the color taste when I enjoy photography and noticed some ideas to solve. I decided to apply with the favorite color according from my solution. It was necessary to ignore painting directions on instructions. That causes different impression from an actual aircraft but it represents visual amusement of scale model itself. Even so, when I have some question of express, I asked some of my friends that belongs to military duty on SNS to help. They cooperated very well and I enjoyed share information with them. This work was objectless at first and I have begun to make the condition for which I'm just in the nice mood only. A casual motive sometime produces an unexpected nice outcome.

There would be also luck in modeling and it worked quite nice accidentally. But even if it succeeds when a formal plan isn't made, it's difficult to reproduce that. That won't be sometimes an experiential value. Usually, when I am embodying the image, I make a careful plan. The supposition and the inspection are always meaningful. But even if I'm thinking deeply, sometimes I don't find a clear solution. Once a rough plan has raised, it's important to carry out and corrects the way flexibly. Be that as it may, It's the most important element to enjoy oneself. This piece of my work tells me about that clearly.

林 周市
Shuichi Hayashi

1975年生まれ。静岡県在住。幼少期より自宅にほど近い航空自衛隊・浜松基地から飛び立つ機体を見て育つ。その原体験こそが本物のような模型を作りたいという、現在のスタイルを生み出したことは想像に難くない。海外の友人や知人も多く、その交流から模型的な知識技法のみならず、海外現地の機体の資料を得たり、機体が運用されるバックボーンを伺い知ることで、模型の表現に深みを増すことに繋がっている

I was born at Shizuoka prefecture in 1975. I grew up on the nearly side of the base of Japan Air Self-Defense Force in Hamamatsu city since I was in my childhood. An image of my painting technique was established this time. The development of SNS is remarkable, so I have a lot of oversea friend through SNS. I frequently exchange views with my friends about models and also I share information on a real aircraft with them. This exchange performed all over the world is very useful for my modeling process.

るで本物のような模型を作りたい……モデラーであれば、誰もが考えたことがあるだろう。林氏が選んだテーマは「躍動感」。いかにも飛びそうな、本物の飛行機を知る人が「そうそう、こんな感じだよね」と思わず口にする、そんなモデルを製作することを掲げ、8年ほど前から模型製作をはじめた。

キットを購入するのに立ち寄った模型店の店主から薦められるがままにビッグスケールを手にしたが、ほどなくしてこれが自分が表現したい塗装表現を試すのに最適なサイズだと気付く。「いかにも飛びそうな」という、生きた機体を再現するために資料をあたる。写真や動画を丹念に観察し、機体の外皮が傷つけられた状態を再現するために、あらゆるウェザリングの技法を試す。ときには失敗しながらもそのテクスチャは次回作以降に使えると考えレシピとして記録する。SNSを利用し、日本のモデラーとは異なる海外モデラーの技法を見れば、試し学び取り、己の経験値として蓄積していく。

そうしていくうちに製作スタイルも確立してくる。自分が楽しみたいのは「塗装」だから、キットのディテールアップは最低限でかまわない。目立つ箇所を重点的に仕上げようとすると、コクピットやエンジンノズルという、キットのパーツでは密度や情報量が物足りないと感じる箇所が出てくるので、そこはサードパーティのレジン製パーツに置換する。どんなにハードウェザリングを施しても、磨き上げられたキャノピーの存在感が、機体が稼働し「生きている」ことを主張するポイントになる。展示する際に見る角度は機体の前方、人の高さの目線からと考え、見えない部分は手を抜く、などなど。

そして自分が納得できると思える作品をSNSなどで発表しはじめたのが4年前。「実機にしか見えない」という小学生並みの感想しか漏らせず、ざわつくネット民に「キットはストレート組み」というさらなる一撃を軽く繰り出しKO勝ち。その衝撃が現在進行形なのは言うまでもない。

I have begun modeling from approximately 8 years before. A main target of my modeling is an expression of an uplifting feeling on aircraft itself. I'd like to make the model which the person who knows an actual aircraft is convinced. The people who see a real aircraft would enjoy themselves through my work.
Before I started to build a scale model, I went to a store to look for models and ask shopkeeper some question, I noticed very clear answer by myself sooner or later. My expression technique requires the appropriate size of models. Small size doesn't suit a delicate expression. I observe imformation of a real aircraft from books or DVDs and I try an original painting technique to represent it for accumulate as experience. The expression failure gave me new discovery and I'd utilize that next time. I often learn much of a hint of model painting from an overseas modeler using by SNS. I think the expressiveness of the work for the overseas modeler has very abundant idea for express from deep painting back ground. I'd learn without being hesitated whatever I am interested in.
My modeling style puts weight in the painting process. Simply, I'd like to enjoy painting. I don't wish to spend time on excessive remodeling and assembly. So, I include parts in aftermarket for saving in time if it is possible. The cleanliness is necessary for dirty weathered expression. This is also a balance sense of a work between model part and element of a real aircraft. The fuselage is soiled surface, but the wind shield (canopy) or sensors glasses are so much glossy , and so on. The best looking of my model is always imagined catch by person's eyes just they stand there. The part that doesn't see any more is omitted to be particular according from that point of view.
I have begun my modeling activity on SNS since 4 years before. I feel delight to share my work with a lot of friends everyday.

ウェザリングで作品に躍動感を与える
プロフェッショナル、それが林 周市だ。

"A weathered expression is an uplifting feeling of scale model" That's what I believe.

意図したとおりに仕上げるのが困難とされるウェザリングを完全にコントロールし
実機さながらの雰囲気を醸し出す作品を生み出す
そんな作品を生み出す林 周市の極意とは

製作スタイルはディテールアップよりも9割塗装を重視する

I spend 90 percent of the modeling on a painting expression.

細かい工作は自分に向いていないし、なにより塗装を楽しみたい、との考えからキットは基本的にストレート組み。しかし、まったくディテールにこだわらないというわけではなく、実機とキットとの形状が異なればプラ板などで加工することもあるし、コクピットやシート、エンジンノズルなど完成後も見せ場になり目立つ箇所にはレジン製のディテールアップパーツを組み込む。適材適所で組み立て自体のストレスを緩衝し、塗装に集中するための方策として確立してきた制作スタイルなのだ

I don't like small work and I feel a stress in assembly like other people does. I exclude those as much as possible and enjoy painting.Of course, I like a small detail expression, it helps a nice impression of my painting, I sometimes enjoy easy remodeling. Be that as it may, I still wish for early completion of a work.

ウェザリングを最大限に楽しむ

Enjoy painting a weathered expression maximally.

ウェザリングを「楽しい」と考え、実機写真で見た外板のダメージをそのままトレースするように行なう時もあれば、模型的な仕上がりを優先して「盛り気味」に表現する場合もある。目指すのは資料写真の再現ではなく、ウェザリングを施すことで、あたかもそこで飛んでいるかのような空気感。そのためには、足したり引いたりという模型的な塩梅が必要になる。塗りながら、組み立てながら全体の調子を確認していく。やりすぎない「きれいな汚し」の極意は、止めどころの見極めが重要である

I try to represent to paint as just like the real thing of aircraft but I think the outward appearance as the aircraft scale model is also important. The large amount of dirt on the real aircraft isn't related to amusement as the aircraft model. I don't think it's best to copy the real feel of a material similarly in the model, it's important to exaggerate and paint a fascinating expression as an aircraft model.

1/32スケールがメインなのには理由がある

There is a certain and theoretical reason to choose 1:32 scale.

1/48スケールで1/32と同じ仕上げで製作してほしい、というオーダーもあるそうだが、使用する塗料に含まれる顔料の粒子の大きさや機材の精度などから、現状では同じ仕上がりを約束することはできないという。現状のテクスチャをそのまま使うと、あきらかにオーバースケールな表現になってしまうのだ。自分が意図しコントロールできるサイズが、このスケールであったのだ。余談だが小さいキットはチマチマしていて、なんだかうまく組み立てられそうにない、とも考えているようだ

I think it's a bit difficult to express into the small scale such as 1:48 scale or others like what I have done in 1:32 scale . That's mainly caused by the size of the used tool and the particle of a pigment.

年間に平均6機以上製作するスピードの速さ

The speed of 6 or 7 works a year

いかにキットがほぼストレート組みとはいえ、驚くべき製作ペース。製作前に「今回はこのように作りたい」というテーマを決め、それに基づいて省く工程や製作手順を策定、無駄を無くしていくことでスムーズな作業に繋げていくのである。また、ときには戦車やキャラものといった別ジャンルの模型や、飛行機模型でもウェザリングをまったく施さないで製作するなどして息抜き、マインドをリセットするという。製作環境も思考状態も、きれいに片付いた状態が良い結果を生む証左といえる

I consider a completion image clearly before assembly to make sure that what I want to represent. That achieves embodiment of a process and avoid perplex. I often get tired of making aircraft models because of the size itself. In that case, I also enjoy the other genres. That would be a good breather to mindset.

"魅せる" ウェザリングにかかせないマテリアル

林流ウェザリングで使用するマテリアルに特別高価なものや手に入りにくいものはとくにない。これらを駆使することによりあの「リアルな模型」が完成するのである

Mr. ウェザリングカラー　Mr. Weatering color

GSIクレオスのMr.ウェザリングカラーのマルチブラックやグランドブラウンは、機体の黒ジミ汚れや全般的なウェザリングに使用することが多い。マルチホワイトは簡易的な塩害表現を施す時に効果的であり、シェードブルーは今回紹介するF-14Dには使用していないが質感の違いを表現する時に使用する。Mr.ウェザリングカラーは油彩をベースにした伸びのよい塗料なので調整が効き便利だ。よく攪拌して使用すると良いが、攪拌しないで使う場合は底に溜まっている濃いめの顔料をすくい出して使用する。ウェザリングカラーは塗布する際は点付けし、やりすぎないようにするのがポイント

I prefer to use black(WC01) or brown(WCC2) oil color paint for dirt expression of overall aircraft model. Moreover, The white color(wc05) is very effective to represent the simple damage from salt water expression, The blue color(WC09) is suitable for adjustment of the color tone.Mr.weathering color should be often stirred well before use and it won't overdo erasure with a point touch when it is applying.

AK エナメルウェザリング塗料　AK Enamel Weathering Paint

エンジンオイルが漏れた表現や、機体に燃料が焼きついて焦げた状態などの「オイル系の汚れ」や「鉄部分のサビ」を表現するために用いるのが、このAKインタラクティブのエナメル系塗料。適量を筆で塗布し、余分な部分をエナメル系うすめ液をつけた綿棒でこすり落として使用する。あらかじめ希釈されているexp、そのまま使用することが可能

To represent the dirt on an oil course or the tarnish of the iron part, I mostly use AK interactive oil color paint. It is very easy to use by brush or cotton swab as shown.

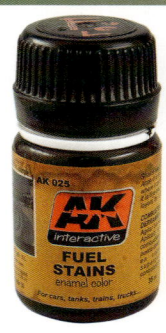    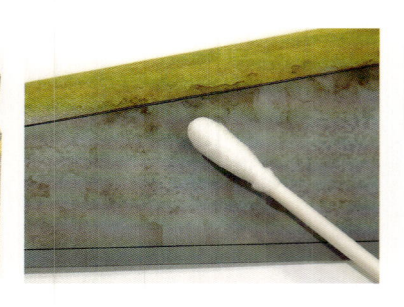

タミヤ エナメル系塗料　Tamiya enamel paint

  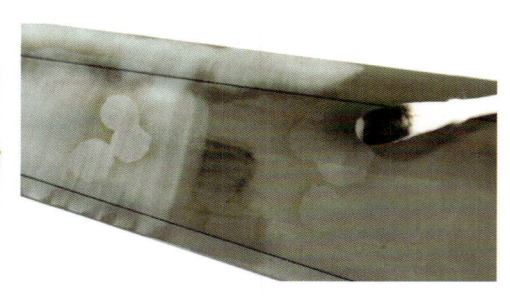

基本塗装よりも一段暗い色を全体に塗装し、作品全体の色味やツヤを調整する作業、それがウォッシングだ。そこで使用するのが、このタミヤのエナメル系塗料。安価で手に入りやすく、また濃度の調整や調色も容易である。タミヤ エナメル系塗料は、適宜調色・希釈して筆で全体に塗布してから、うすめ液をつけた綿棒で表情をつけていき、全体のバランスを整える

The enamel washing technique is use for adjust the color taste of the whole work and gloss. In this case,I use Tamiya enamel color, mix several colors as shown. This color series are recommended for adjustment of the density and the style color.

ラッカー系塗料　Lacquer paint

ラッカー系塗料は塗膜が強く、エナメルやアクリル塗料に塗面が侵されないため全体の基本塗装に使用。そのほかに機体補修跡を再現する際に、茶系やグレー系の汚れや染みの表現にクリアー系のラッカー塗料を用いている。これは上記塗装の上からエナメルなどでウォッシングするためで、これにより表層的な表現を比較的簡単にできるのが利点だ

Because of a painted surface isn't infringed by enamel and acrylic paint,I prefer to use the lacquer color paint for the whole basic painting. Semitransparent lacquer clear color is used for such as represent fuselage and wing repair mark. It has strong tolerance in additional enamel wash painting.

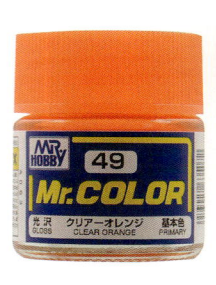 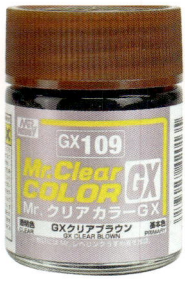 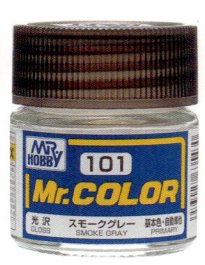 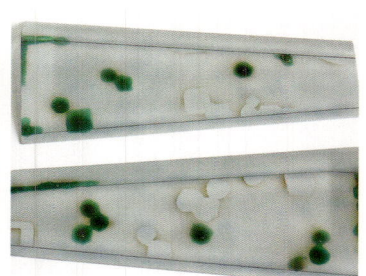

▶機体全体などの広範囲の塗装時に使用しているハンドピースはGSIクレオスのPS-274の0.3㎜口径（写真左）とPS-267の0.2㎜口径（写真右）。基本塗装は主にラッカー系塗料でエアブラシを使用している。アフターサービスの充実さから日本製をチョイス

I use PS-274(left 0.3mm) for painting of wide range such as surface primer coat, and PS-267(right 0.2mm) for painting of a delicate expression. It is definitely recommended to use made in Japan.

タミヤウェザリングマスター　Tamiya Weathering Master

タミヤのウェザリングマスターはエンジンの排気管のススや水平尾翼の整備員の靴墨などの汚れに使用する。アクリル系うすめ液で少し溶いたウェザリングマスターを要所要所にこすりつけるように塗布していき、なじませる。その後クリアーを塗装して保護する。またコクピットの盤面などの塗り分けにも使用できる。あらかじめウェザリングマスターでドライブラシをしてエッジを出しておくと、のちの塗装がしやすくなるのでオススメだ

Tamiya weathering master series are used for various purpose from big pollution to small dirty expression. It is possible to dissolve in an acrylic fiber paint thinner and an enamel paint thinner. It s similar to use as dry brush techniques.

マスキング剤　Masking agent

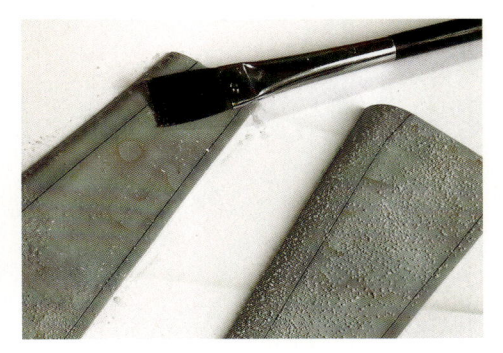

SNS上で「本物の塩を模型製作に使っている！」と話題を呼んだ塩は、模型の塩害表現を施す際のマスキング材として使用。塩の粒の大きさや形状が1/32スケールの塩害表現に最適で、手に入れるのも容易である。該当箇所に塩を撒き、定着液で固定する。またマスキングゾルは、塩害で腐食した部分をリタッチした機体補修跡を再現するためのマスキング材に使用する

I use very small piece of salt for dining tables. This is easy to get in the market. It's used in the state in the bott e, salt is scattered very nicely. AK worn effect uses as fixed liquid for salt, adding a little water before apply with airbrush. The masking sol is used for fuselage or wing repair mark. And it can be used for other expression.

銀鉛筆・銀マーカー　Silver pencil · silver marker

今回紹介したコルセアの下地はジュラルミン製（銀色）。その塗装の細かい剥がれ表現などに使用する銀鉛筆と銀マーカー。扱いが容易で模型店ではなくても手に入るので、持っていて損はない一品である。今回の製作工程では主にプロペラなどの細かい傷跡に活用した。マーカーは塗料皿などに一度出し、筆を用いて塗装していくとよい

I use silver water color pencil and oil marker as shown for very tiny chipped expression. I use oil marker by brush after it develops in a palette.

スポンジ　Kitchen sponge

塗装の細かい剥離表現の技法は何種類かあるが、そのうちのひとつがスポンジによるチッピングだ。硬めのスポンジを小さくちぎり、アクリル系塗料をつけて該当箇所に塗布していく。たとえば脚の塗装が剥げた箇所や燃料タンクの先端の剥がれ表現に適用可能だ

A sponge is used as a big detached expression. It's obtainable as cushioning material. It is used with enamel or acrylic paint color. I apply it to landing gear or some edged parts like fuel tank or antenna.

綿棒　Swab

綿棒はウェザリングやウォッシング、デカールの水切りなど、用途は多岐にわたり使用頻度が高いため、使い心地の良さが大事。綿の固め、柔らかめ、細い、太いなど、使用場所によって使い分けて拭き取りを一定感覚にしないことによって表現に幅を持たせることができる

I use several kinds of cotton swab for many purpose. Those have the difference such as hardness or the size itself. I succeed to make the different expression by using these appropriately.

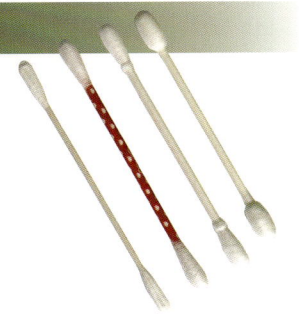

パレットは身近なものを使用

菓子の食べ終わったブリスターパックを塗料皿として再利用している。塗料を入れる部分ひとつひとつの容量が小さいため、少量の塗料を出して使用するのに非常に便利なのだ。また元々は捨てるものなので、気兼ねなく使い捨てできるのも嬉しい

I reuse the blister pack for a snack as a paint palette.

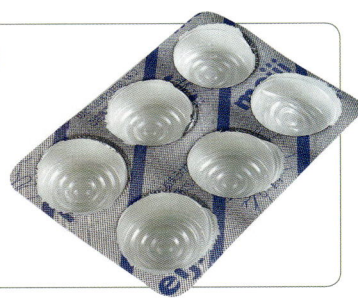

本書で紹介する主な技法

林氏の主な技法は以下のとおり。
メソッドがわかったら一度手を動かして実践してみよう。
自分なりの正解が見つかるはずだ

米艦載機によく見られる機体の塗装補修跡。実機の艦載機は塩害で機体が腐食しやすい。そのため機体の腐食部分を研磨してタッチアップするのだ。その「補修跡」の表現をマスキングゾルを用いて再現する。**A**補修跡を施したい箇所にマスキングゾルを塗る。まばらにするのがポイント。**B**乾燥後、ラッカー系塗料のグレー、クリアーブラウン、クリアーオレンジを混色したものをエアブラシで上から薄く塗装。全体に塗装するわけではなく、マスキングゾルを塗布した箇所から少しはみ出したところに塗装するとよい。**C**乾燥させてからマスキングゾルを剥がす。剥がれにくいものはピンセットなどで先端を浮かせてから、粘着力の高い両面テープなどで剥がす。**D**マスキングゾルを全部剥がした状態。ここから、エナメル系塗料でのウォッシングなど施すとリアルになる。**E**上記の**B**では混色した塗料を吹いたがこれはスモークグレー1色でも再現できる。同色で単調になる場合は数種の色でこの技法を施すと情報量が増える。**F**写真のようにパネルラインに沿った補修跡を再現する場合にはマスキングゾルで細い線を描くと再現できる

マスキングゾルで再現する機体補修跡
The fuselage repair mark reproduced by a masking sol.

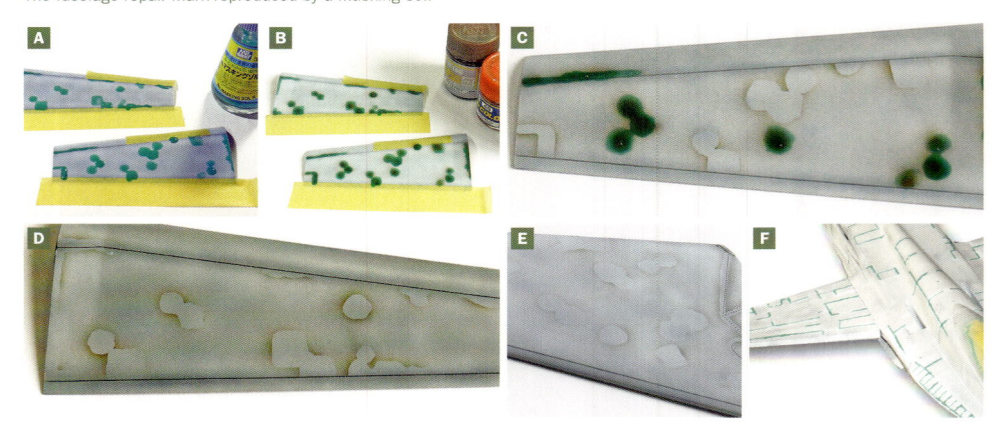

A carrier-based aircraft is damage from salt water environment, so paint surface of fuselage or wing is easy to corrode.(A)A masking sol is applied uniformity.(B)After applying masking sol, the lacquer paint color such as clear brown mixed a clear orange are blown to make very thin and tiny lines by an airbrush.(C)After paint gets dry, take off the masking sol very carefully using by tweezers or adhesive double-stick tape. (D)After all masking sols were peeled off, enamel wash is very effective.(E)Simply using smoke grey (Mr. color No.101) color is also available. I use the different mixed clear color appropriately on each parts.(F)I reproduce a repair mark along a panel line as shown. I try to draw a thin line as much as possible by the brush with a fine point.

上記マスキングゾルでの工程後、上からウォッシングを行ないさらに情報量を増やす。**G**使用するのは写真のエナメル系塗料3色。**H**拭き取りに使う綿棒は固さが異なる物が数種あると拭き取り具合に差が出て情報量が増える。**I**工程Gの3色の塗料を混色して希釈したものを筆で塗装し、エナメル系うすめ液を含ませた綿棒で拭き取る。ところどころニュアンスを残すのがコツ。**J**ウォッシングの最終工程としてスミ入れを行なうこともある。タミヤのスミ入れ塗料は元からちょうど良い具合に希釈されているので便利だ

ウェザリング全ての基本となるウォッシング
The washing treatment technique is a basis of weathering.

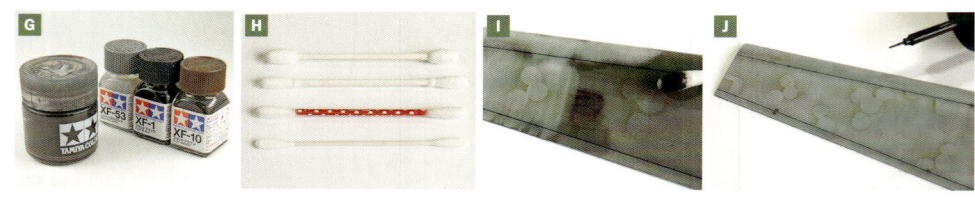

After masking sol effect, I use washing treatment technique for earn abundant expression.(G)I used three different enamel flat colors as shown. (H)I use some different hardness of cotton swab to make rich volume of information on the surface.(I)The enamel color paint for washing should be remained in purpose so I don't wipe off all of them.(J)I put enamel paint for panel line to make it more certain appearance.

"塩マスク"とは潮風に晒された艦載機によく見られる塩害の退色表現を、本物の塩を「マスキング材」として使用して再現する技法のこと。実物の塩は粒の大きさや形状が1/32スケールの塩害跡を表現するにはぴったりで、また、きちんと洗い流せば表面もベタつかないので活用している。**K**塩をそのままパーツに撒いても表面には定着しないので、定着材としてAKインタラクティブのAK088「剥がれ表現液」を使う。これはヘアスプレーのように粘着性がある、「糊」のようなもの。食卓塩の瓶は手も汚れず、ふりかけるときにニュアンスがつけやすく便利だ。**L**まずはAK088をエアブラシで薄く吹き付け、乾燥前に塩をふりかける。**M**乾燥させて塩を定着させる。**N**乾燥した工程**M**の上から下地の色より1トーン濃いラッカー系塗料を塗装。**OP**乾燥したらぬるま湯と筆で塩と定着液を洗う。**Q**塩を洗い落とすとこのような感じになる。**R**最後につや消しクリアーを塗装し、保護をすれば完成

"塩マスク"で表現する艦載機特有の塩害での退色
Salt water damage expression on carrier aircraft paint surface using by salt masking technique.

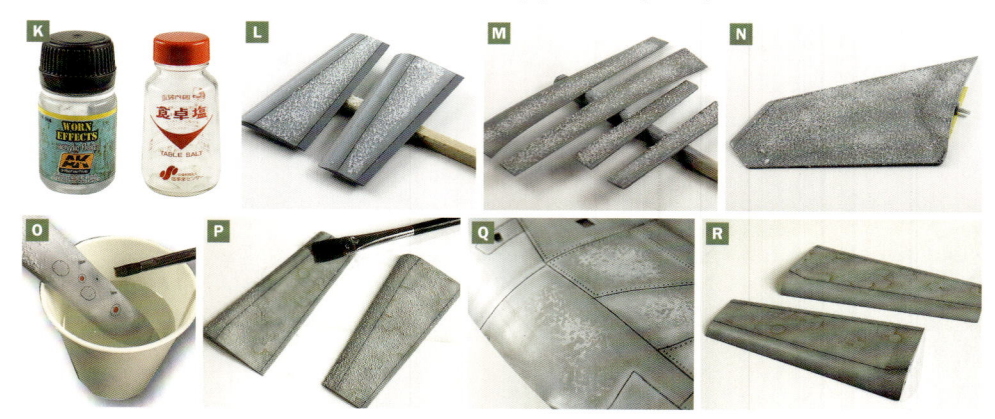

I think it's appropriate to use real salt in 1:32 scale aircraft model. Salt has the various size, so it's important to try variously by yourself.(K) AK088 is use for settlement of salt, it's a little thick, add water a little for airbrush. Water should add very carefully to avoid melt the salt.(L)I blow AK088 with airbrush very thin, put the salt before it get dry.(M)Set the salt and wait until it get dry.(N)I blow lacquer color paint that adjusted to darker grey color.(O)(P)I wash fixed liquid and salt by lukewarm water with large brush after paint gets dry.(Q)Example expression on the different part of surface.(R)

機体各所の油漏れやオイル漏れの表現
Expression of hydraulic leakage and oil leak.

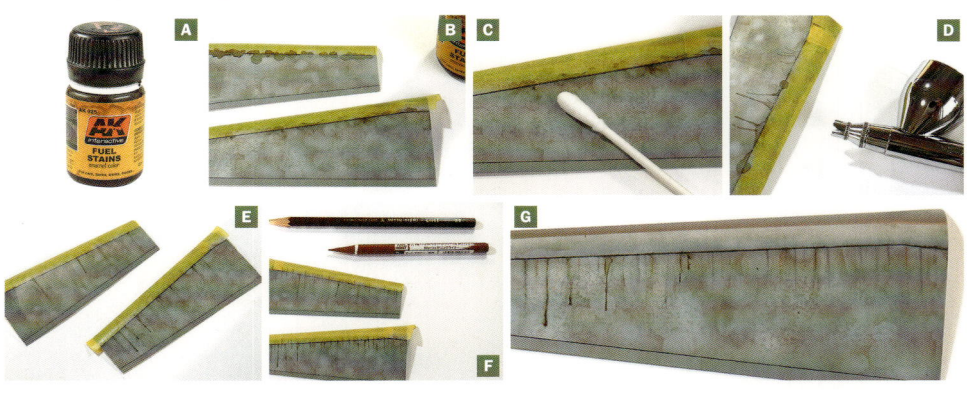

飛行機の可動箇所によく発生するオイル漏れを再現するための方法。最後はつや消しクリアーを吹いて塗膜を保護することを忘れずに。**A**オイル漏れにはAKインタラクティブのAK025「フューエルステイン」を使用する。**B**広範囲で薄く飛び散った油漏れを再現するにはフラップ部分にマスキングをして、その境界線に重ねるように筆でAK025「フューエルステイン」を塗る。**C**エナメル系うすめ液をつけた綿棒で塗料をぼかして馴染ませる。**D**油が流れ出した表現はAK025「フューエルステイン」をマスキングテープのフチに垂らすように筆で塗る。その塗料をエアブラシの風を当てて吹き流す。こうすることでよりランダムなオイル漏れ表現に近づく。**E**はみ出した箇所をエナメル系うすめ液を含ませた綿棒で拭き取る。**F**鉛筆やウェザリングライナーを使って、スジ状の油垂れを書き込む。全て同じ長さにせず、ランダムにするとリアルに表現することが可能。**G**エナメル系うすめ液を含ませた綿棒でFで引いた線をぼかす。スジ状の油垂れは等間隔にせず、メリハリをつけるとよい

You can see oil leak on movable part of the real aircraft. I put a lacquer flat clear coat when it has been all done.(A)I usually use AK025 for oil leak expression.(B)I use masking tape for express the flow thin by wide range of oil leak.(C)I shade enamel oil color (AK025) and make the enamel thinner to match by cotton swab.(D)I put thin enamel oil color (AK025) beside the masking tape, use with airbrush air blow the enamel color to optional way to represent accurate streaking oil expression.(E)An unnecessary part is wiped up by cotton swab with thinner.(F)In another hand, I use aqueous pencils or weathering liner as shown for oil leaking expression.(G)I always draw oil leak lines following by irregularities. The lines are shaded by cotton swab with enamel thinner.

機体の黒ジミ汚れ
Black dirt on a fuselage

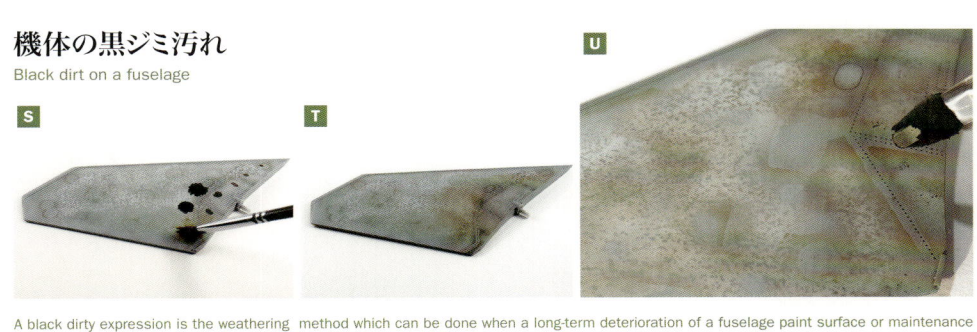

黒ジミ汚れとは機体の経年劣化や、整備員の靴墨などが付着した際にできる汚れの表現方法である。**S**GSIクレオスのMr.ウェザリングカラー グランドブラウンを伸ばす。**T**溶解度の高いタミヤのエナメル系うすめ液を綿棒に含ませてなじませると、ウェザリングカラーが溶けて自然な黒ジミが出来る。**U**その上からウェザリングマスターBを撫でつけ、汚れが乾燥した跡のような"粉っぽい"立体的な汚れが再現できる

A black dirty expression is the weathering method which can be done when a long-term deterioration of a fuselage paint surface or maintenance worker's shoe dirt.(S)I put Mr. weathering color(WC02) in dots.(T)I soak a cotton swab in the Tamiya enamel thinner with the high solubility and make them match.(U)Moreover, I put weathering master B for represent small and delicate dirt.

製作序盤でもウェザリングを行ない、ウェザリング後にも基本色の塗装を行なう
Painting and dirty expression are never always the same procedure.

ウェザリングやスミ入れなどは、大抵のモデラーならば製作工程の終盤、もしくは仕上げとして行なう事が多いはず。だが、林氏は製作途中の初期の組み立て段階でも積極的にスミ入れや、ウェザリング、塗装を行なうのだ。基本塗装中にも汚しを入れ、その後また基本色を吹くことで、運用されながら補修もされる、まるで実機のように何層にも重なった機体表面が再現されるわけだ

A carrier aircraft is repainted partially in the limited environment while being used severely. I often put some weathering process from the way of the major painting to get that feelings.

ウェザリングを施す際の筆はあえて使い古されたものを使う
I use some worn brushes when I put some weathering treatment.

新品の筆の穂先は塗料の含みが良く、ウェザリングを行なうにはやや不向きといえる。適度に傷んでバラけているほうが、塗料をキット表面に少しずつ置きながら汚れ具合をコントロールするウェザリング作業には適している。最近ではドライブラシ専用筆なども発売されているが、手に馴染んだ道具を流用したり自作するほうが、穂先の堅さや毛先のしなりなど道具自体の特性をつかみ易く、塗面のコントロールがしやすいと感じるだろう。ひいては失敗も少なくなり、作業時間の短縮になるのだ

A bland new brush may not face to the pollution expression. The regularity-lessness (irregularities) of the brush hair leads the natural effect. It isn't necessary to buy an exclusive brush, and you should use a worn brush to find a new usage.

TRUMPETER 1/32 scale
GRUMMAN F-14D TOMCAT

Air modeling weathering master The world of Shuichi Hayashi

「介在した技法やマテリアルを視る者に感じさせない」こと。林の言う基本的なコンセプトは、スーパーリアルイラストレーションのそれと図らずも同一である。技法ではなく、その見えるものが指し示す方向へと、見る者は誘導されていく。それは一言で言えば「実感」であるが、「実感」は「現実がこうだから」というファクトに必ずしも立脚しない。「現実」の強調と弱化のバランスのなかで、人は作品から「リアル」を感受する。林が得意とする現用海軍機を主題に「強調と弱化」のことと次第を、写真とテキストによる技法的シーケンスの分解を通して、可能な限り解き明かしていこう。

I have clear directionality about painting. It is that the person who sees doesn't realize a technique and a material in simple way. That's same as an illustration which has been just conscious of real actual feeling. But real actual feeling may harmonize with a part of the image that I have. When it's possible to project that onto model painting successfully, it's all my satisfaction. I'll introduce about my favorite and well inspected technique of modern naval aircraft painting.

塗装の前に（工作）Construction before painting process

過度なディテールアップを主題とせず、あくまで塗装がメインだが最低限の工作は塗装前に行なっておきたい。今回の作品も、ここで示したような追加工作以外は基本的にストレートに組み。最低限の工作でも塗装にこだわるだけで密度感のある作品に仕上げる事が可能なのだ。

I don't like the remodeling and the assembly for which it takes time complicatedly. It's important to spend time on painting, it succeed in to express ingenuity in painting bringing out the original taste of the kit. I draw out the realistic feel of a material by doing the painting without remodeling.

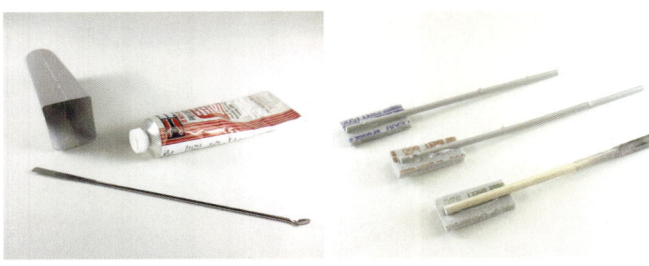

A インテイク内側は厄介だが後回しにするわけにもいかないし、完成後に見えてしまうのも興ざめだ。使用しているのはスコードロン社製の白パテ。プラ棒の先にスポンジ研磨剤を貼り付けた手製の工具を使って研磨する。押し出しピン痕は組立前に処理を済ませておく

The serious gaps in the air intake should be filled and fixed. Abrasive of a sponge is convenient at this time, use with long plastic stick as shown. I use Squadron Products white putty for this process.

B 両面テープでキャノピーをしっかりめに仮付け。別々に塗装することによる色のばらつきを防止するためだが、コクピット周りのマスキングが楽になるという効果も生まれる。ウインドシールドとの境界は裏からマスキングテープを貼っておき、塗料の吹き込みを防止する

A canopy is installed temporarily by a double-stick tape. This process avoids the difference between the canopy and the color taste of the body. A masking tape is stuck on a necessary part from the back. The serious problem of blow using airbrush paint to the interior will be avoided.

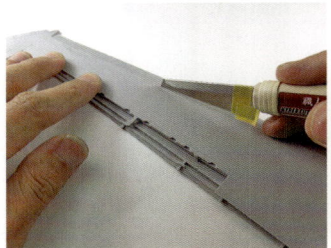 

C スミ入れを考えるとスジ彫りがやや浅い印象なので、薄刃の鋸とキサゲをスジ彫りの性格に合わせて使い分け、深堀りを施す。鋸の尻にマスキングテープを貼り付けているのは、余計な部分を傷付けるのを防ぐため。ちょっとした工夫で余計な手間を省くことができる

When I face to Trumpeter kit, I dig a panel line rather deeply as shown. This is important treatment with painting expression. A tooth of a saw is temporarily protected by a masking tape protect from unnecessary scratch.

D 主翼の付根、可動部分にあるラバー素材のパネルは薄いエクステンド部分があるはずだが、キットでは省略されているため、プラ板で増設した。キットのパーツの形状に合わせて0.3mmプラ板を切り抜き、加工・接着。後半にある3ヵ所のステーも追加しておく

An example of a very easy tips of the details. There is a part lacking in the details with a picture of the real aircraft production. A simple build of the details is performed by plastic beam and a thin board.

  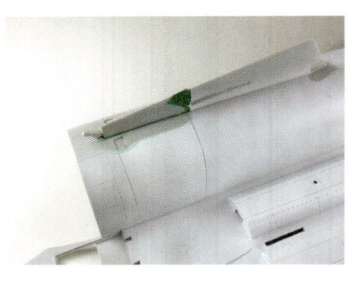

E ウインドシールド、インテイク内側、フィン付根などの隙間にスコードロン製のパテを盛り、薄め液を含ませた綿棒ですぐに拭き取る。粒子が荒いために全部持っていかれることはなく、適量が残留してくれる。脚庫はアイリス製のレジンパーツ「F-14A トムキャット 脚格納庫」(2182)を後部格納庫のみ使用した

The corner of putty is difficult to fill and sand. The putty should be dished up generously. It's wiped up by a lacquer paint thinner. Squadron Products green putty is highly recommended.

F コクピットはアイリス製のレジンパーツ「F-14D スーパートムキャット コクピット」(2174)を使用。ベースに黒を塗装してから指定色を塗装、マスキングが難しい部分はアクリルで筆塗り。「タミヤ ウェザリングマスターE」のグレイなどでドライブラシをかけ、塗り分けを楽にしておく

I used 1/32 Grumman F-14D Super Tomcat Cockpit Set for Trumpeter kits (2174). I use black color for painting of foundation and blow gray color by airbrush. Tamiya Weathering Master is very useful when I identify the small part of cockpit before I paint them. I apply a small part by acrylic paint color.

STEP 1 下地処理 Foundation processing

表面を整え、以後の発色をよくするためのサーフェイサー塗布と、そこに
おおまかなトーン(階調)をつけるいわゆるシェーディングを施して下地と
し、整えていく。以降の退色表現のベースとなる塗装行程だ。パネルライ
ンに沿った黒で明度(明るさ)の階調をつけ、ランダムなブルーのスポット
で彩度(鮮やかさ)の階調を付ける、といった役割分担のイメージで塗装を
進めていく。この段階では退色表現といわれても、いまひとつピンとこな
い状態の塗装が続くが、以降グレーの迷彩色の塗装を進めるにしたがって
その効果は如実に表れてくる。ただ黒や青を吹くだけではなく、以降の塗
装の段取りや、その先にある完成形のイメージを明確に持ちながら、その
最初のステップとして進めていることにも注意したい。退色表現はこの
下地段階ですでにはじまっているのだ、ともいえるだろう。

I paint surface primer before main painting process. It helps apply painting the other
color very nicely. I use black color with a bit brown color added for make a tiny lines. I
also put blue spot colors at random. These foundation painting bears the effect called
shading expression. I realize deep expression by the stack painting. The expression
process that I image has begun at this stage.

1 塗料の乗りをよくして塗料本来の発色をさせるために白の瓶入りサーフェイサーを溶い
てエアブラシで塗装。わざわざエアブラシで吹くのは、目地の処理を行なったところな
ど気になる部分を集中して厚くできるためで、全体を均一の膜厚で吹くのであれば、缶入りタイプ
の方が効率が良いだろう

I blow surface primer from a bottle for concealment in a processed part. That doesn't suit for
the big painting part. It's better to use Sprayer can.

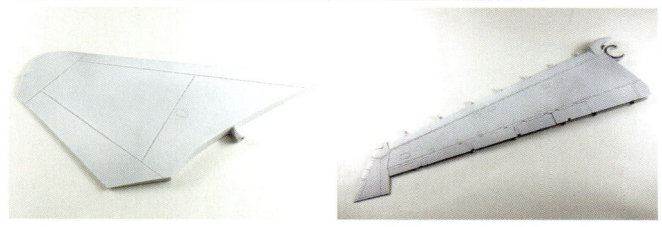

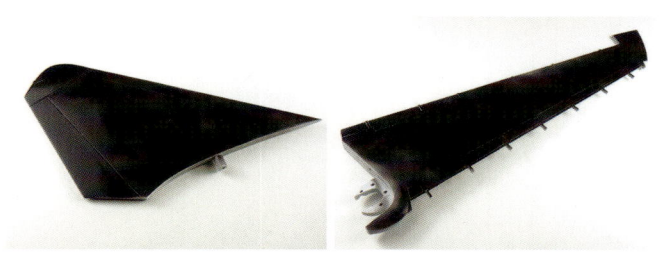

2 翼裏面にはウェザリングをあまり行なわないので、黒をベースに白で明度を上げていく
下地にした。何層もの塗り重ねをしないなら、充分に下地が活きてくるはずだ

I choose to paint the base color on black bottom side of the wing for easy control of color
brightness. Because, I don't paint these area much as like right (upper) side.

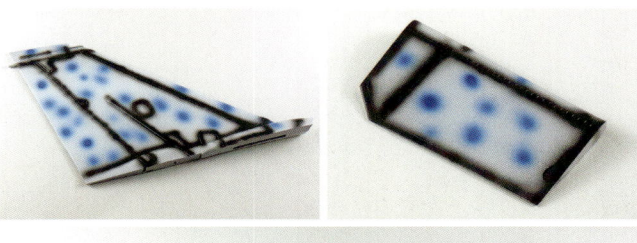

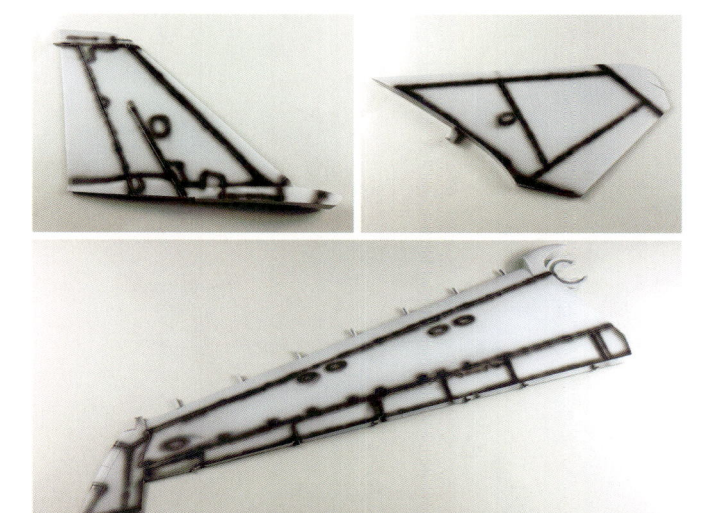

3 オーソドックスな手法だが、ラインやリベットに沿って黒を塗装。塗り重ねていくなか
でその効果は弱まるが、意識してコントロールすることでその効果は残る。またパネル
ラインやリベット位置を理解することで、ウェザリングのイメージを膨らませるのにも役立つ

It's useful to understand the structure of the fuselage to paint a panel line. That's also useful to
make a certain plan of a dirty expression before.

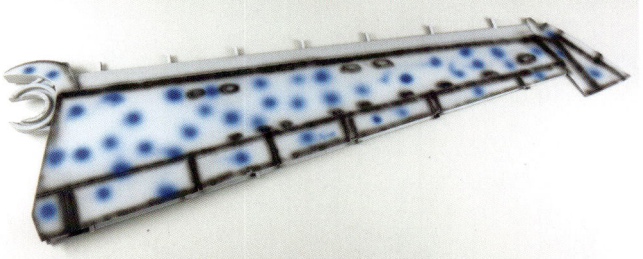

4 退色した機体を表現する際、部分的に彩度の残った部分をまだらに再現するのが目的。
グレーの場合はこのようにブルーが効果的。そのほか迷彩色によってはレッドブラウン
などでもよいが、予想以上に効果が強く出過ぎる場合があるので注意が必要

It's effective to use blue or dark brown color for a gray fuselage. But it's important to pay
attention to overuse. The effect becomes surplus for blue color in particular.

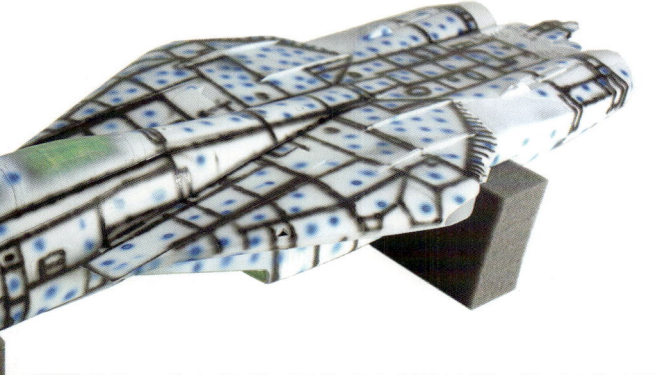

5 黒のシェーディングとブルーのスポッティングを終えた胴体。ブルーのスポットに均一
に見えながらも緻密な部分、希薄またはまったくない部分と、緩急が付いた配置になって
いることにも注目。この状態をベースとして、次は機体色であるグレーを重ねていくことにする

The fuselage image which has finished black shading and a blue spotting. Though a blue spot
looks uniform, I also pay attention to become a simply natural arrangement.

いよいよ機体塗装の第一段階。基本塗装にはモデルカステン製「トムキャットカラーセット」を使用する。ハイビジからロービジまでカバーするグレーの4本セットだ。その中の2番（FS36375相当）と4番（FS17875相当）を使用する。2番と4番を混色し、明度の階調を付けてゆく作業が、このステップでのハイライトになる。今後のウェザリングの土台、基本となる塗装行程だ。前のステップ「下地処理で施したシェーディングやスポッティングをどのように変化させたかにも注目してほしい。

I use Modelkasten tomcat color set in this time. Basically I mixed No.2(FS36375) and No.4 (insignia white FS17875) to make my own favorite bright color.

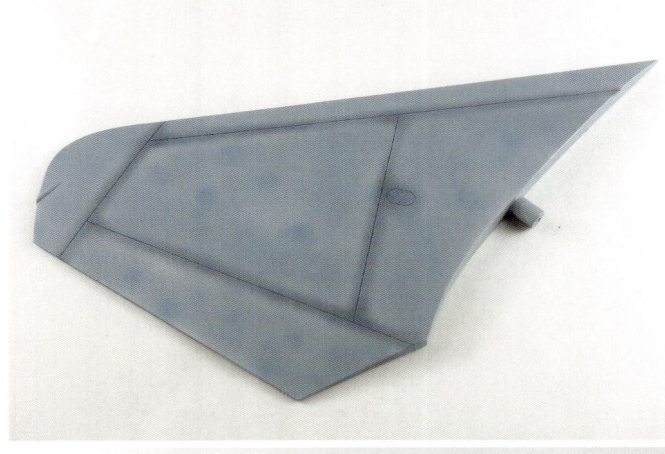

トムキャットカラーセット
●モデルカステン
TOMCAT COLOR SET
●MODELKASTEN

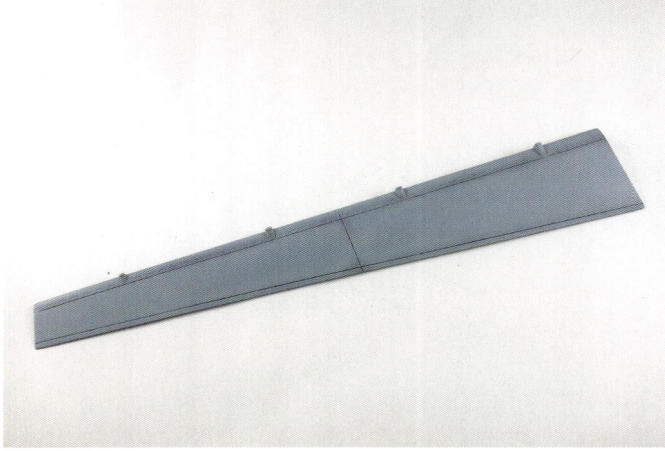

6 ベースカラーとして、いつもなら機体色に白を足すが、今回はモデルカステンの2番をそのまま使用することにした。工程が多い場合、混色すると色の管理が難しくなるためそのまま使うか、若干のグレーを足す程度にとどめた方がベターであると思う

Usually I use compounded colors by myself. But in this time, I use original No.2 color as base paint for the first stage, it is recommended to use in simple way when the painting process increases.

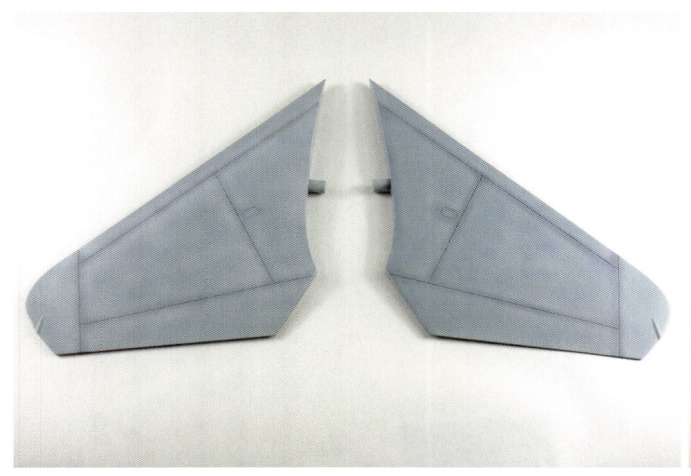

7 モデルカステンカラーの2番に4番を加えたもので重ね塗り。明度の差が明確に出るまで加えていく。あまり4番を加えすぎると本来の2番が持つ青みが損なわれてしまうので、その都度色調の確認をしていくことが大切だ

I use No.2 color added a bit of No.4 color, always pay attention to put an amount of No.4.

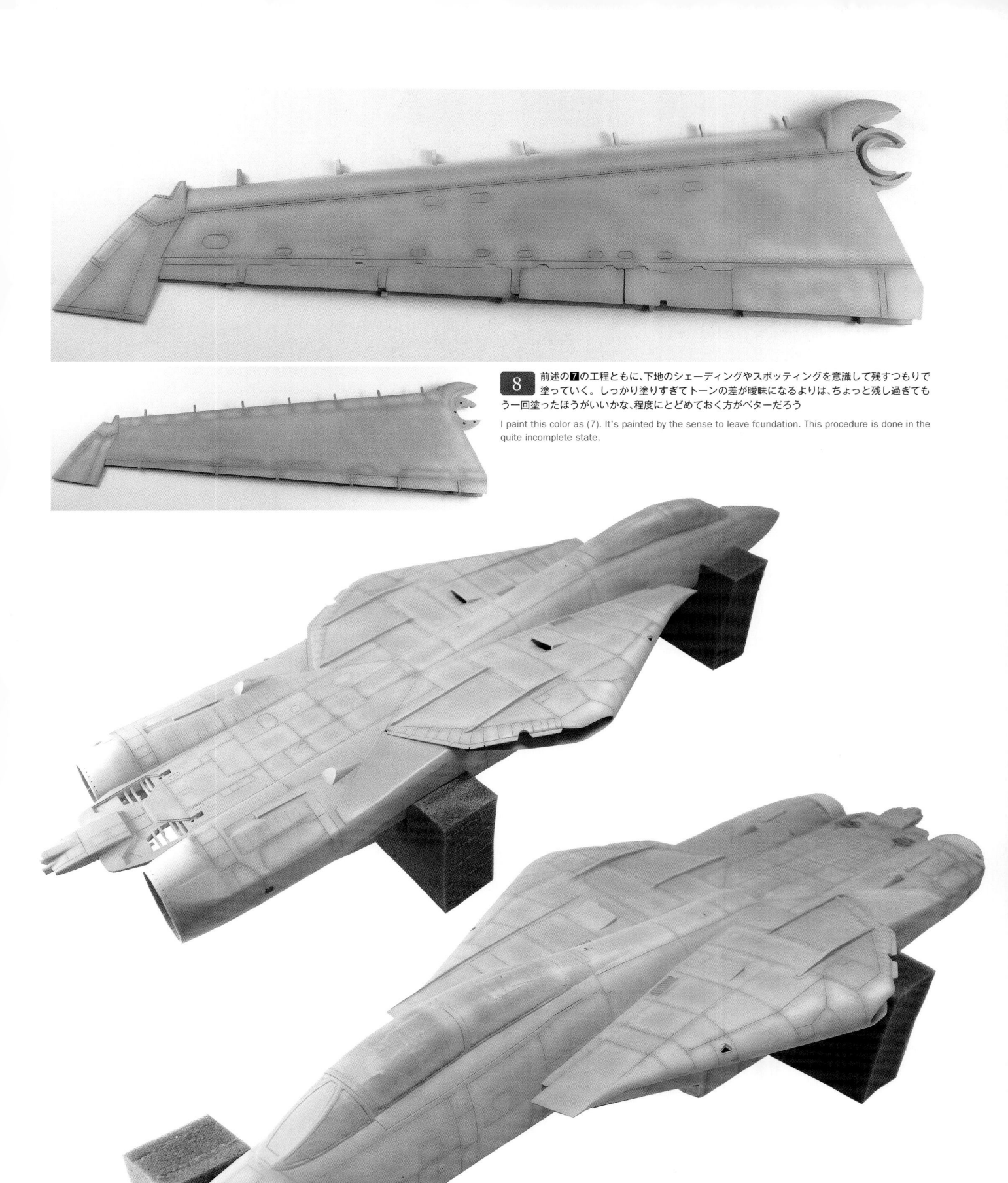

8 前述の**7**の工程ともに、下地のシェーディングやスポッティングを意識して残すつもりで塗っていく。しっかり塗りすぎてトーンの差が曖昧になるよりは、ちょっと残し過ぎてもう一回塗ったほうがいいかな、程度にとどめておく方がベターだろう

I paint this color as (7). It's painted by the sense to leave fcundation. This procedure is done in the quite incomplete state.

9 胴体も翼同様に塗装。下地処理の項で施したシェーディングやスポッティングをどのように変化させたか注目いただきたい。ただ塗装するのではなく、下地の効果を意識して残すように心がけることでトーン差を作り出す。後述のウォッシングで、このトーン差が生きてくる

I painted fuselage as the same way as wing to leave foundation, this painting effect will appear nicely after washing process.

ウェザリング塗装の基本としていまや一般的な手法となったウォッシング。塗装後の最後の仕上げとして施されるのが普通だが、実は機体の塗装はまだ道半ば。中間作業としてウォッシングをこの段階で行ない、その上からさらに塗装によるエフェクトをかけていく。今後のすべてのエフェクトの土台作りの工程でもあり、パネルラインに濃度を与えるいわゆる「スミ入れ」の機能も果たす。この工程だけでも実感が飛躍的に向上するのが写真からもおわかりいただけるだろう。希釈したタミヤのエナメル系塗料を使用し、一度にすべての作業をするのではなく、場所ごとにわけて進めていきながら乾燥した塗膜をうすめ液で拭き取っていく。拭き取りは基本的に綿棒を使用するが、綿棒が届きにくい細かな部分は、うすめ液を含ませた筆を併用することもある。綿棒は多少高価でも、品質の高いものをチョイスした方が作業がはかどるので効率的だ。

Washing process is the most popular method for painting of scale model. This method should be done when the basic paint has done, however I do it while basic painting is in progress and continue to further paint. This can be called the innermost secret of modern carrier aircraft painting. The more embodied weathering expression is being added on this treatment with several technique.

10 以降のウォッシングの拭き取りを容易にするために、表面を磨いていく。曲面にも追随するウェーブの「ヤスリスティック フィニッシュ」を使用。部分的に下地が出てしまっても構わない。むしろ露出してしまった下地を修正することで、自然な風合いを与えることができる

The surface of the fuselage after painting is polished. That makes the wipe of enamel paint easy. I use the soft file which follows the curved surface. Even if it grind too much, it'll be corrected to paint later, so it isn't necessary to worry about it.

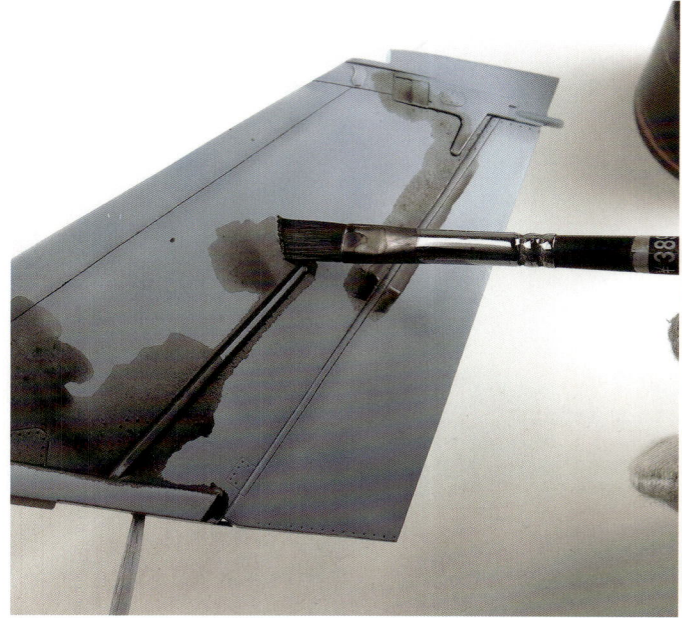

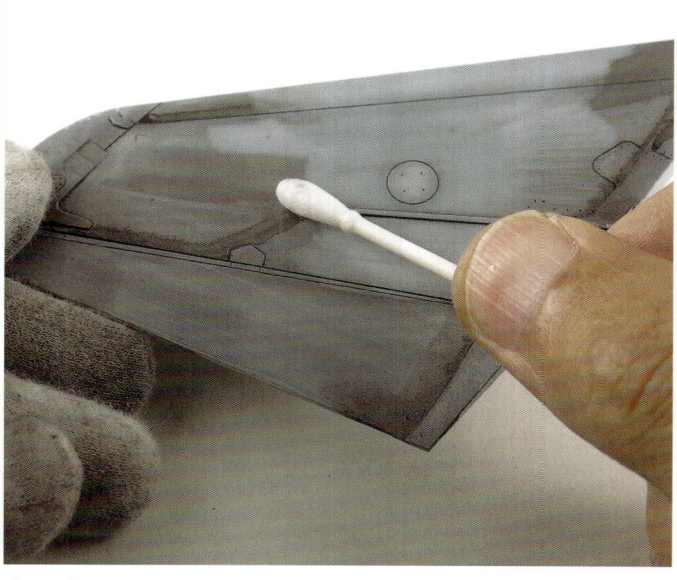

11 平筆を使ってウォッシング液(タミヤエナメルのフラットブラックにブラウンを混ぜたものを使用)を、凹凸の部分やパネルラインを中心に塗っていく。現用機は黒を多め、大戦期はブラウンを多め、といった感じで混色の比率を変えている

I use a flat brush for washing process. That's performed to panel lines and well detailed parts. Enamel color for washing is mixed flat (matt) black and flat (matt) brown color. I use much of black color enamel for modern aircraft, much of brown for WWII aircraft

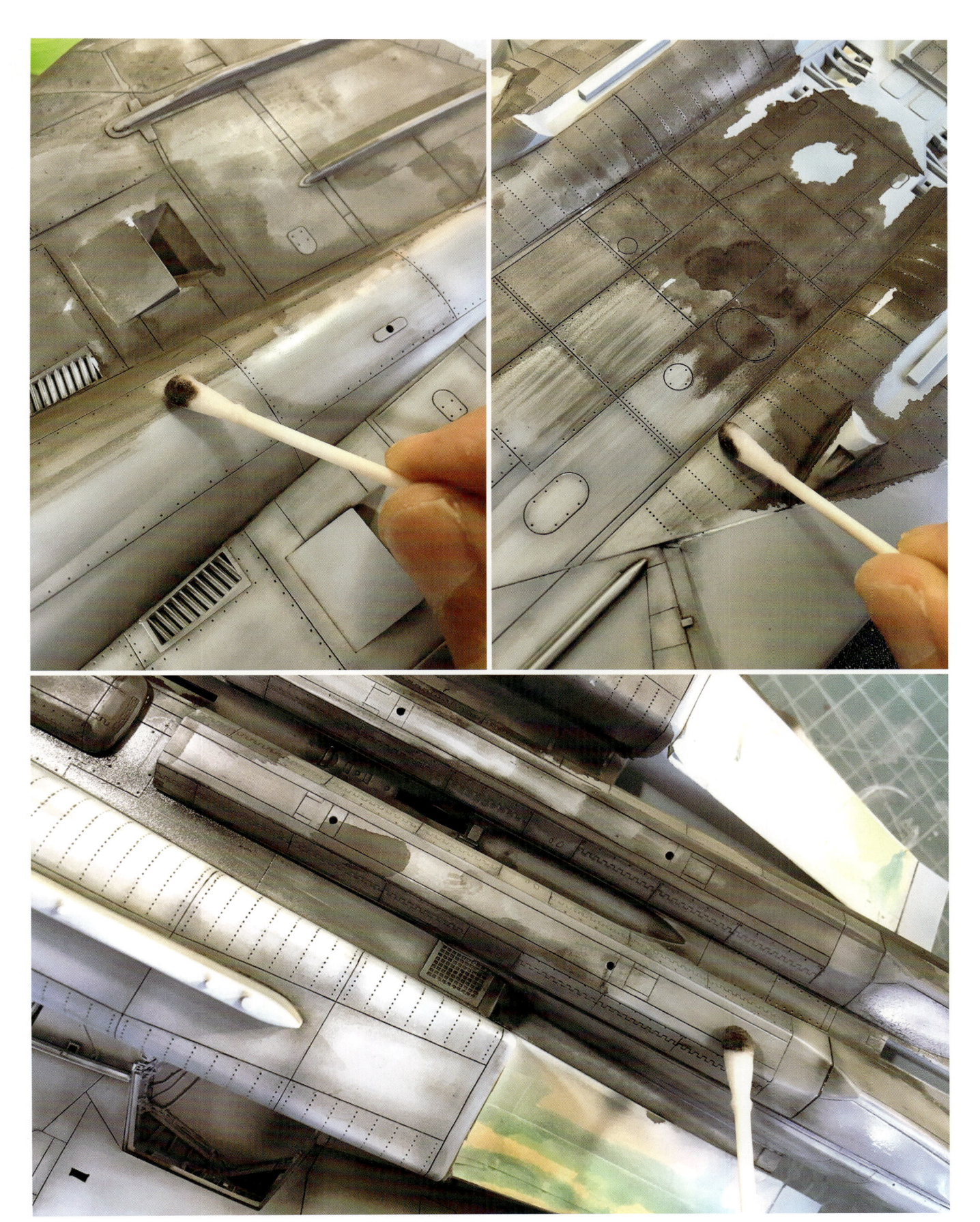

12 まずはエナメルうすめ液と綿布を使って大まかに拭き取り、その後は綿棒にシフト。拭き取りの方向に注意し、特に翼は「前から後ろへ」の拭き取りを徹底していくことで、若干ながら前後方向のグラデーションができる。タミヤエナメルカラーは乾燥後時間が経過してもうすめ液への反応がよく、拭き取りが容易。乾燥時間と仕上がりを考慮して、ツヤ消しのカラーを使っている

I use cotton cloth for wipe off the rough wipe and use cotton swab for delicate wipe. This process should be performed from front to back on the fuselage. That suggests the natural expression feel of a aircraft surface. Tamiya enamel color is very suit for this treatment, especially flat color dry faster than the glossy so it saving in time.

STEP4 塗装2 Paint No.2

ウォッシングで不自然に浮き出した下地を補修していく工程。補修に使用する塗料はP.36 STEP2「塗装1」と同じだが、既に磨きとウォッシングを経た表面の色は色味が褪せて、元の色とは異なっているので、同じ塗料を使っても発色が違う。つまり同じ塗料で異なる調色の3色目の塗料を塗装しているのと同じことになる。大切なのは、この工程はあくまでも部分補修にとどめておくことで、ウォッシング前の色味が良い部分には手を入れないこと。また、この後の工程を済ませてからでは同じ色味が再現できないので納得がいくまでじっくりと調整する。

I correct the part where it's unnatural after going on washing process ,I use the same color as paint No.1 process, The color taste is change in washing, so it's different appearance when it paint. This paint should be careful to hold this painting partially and not to overdo so much.

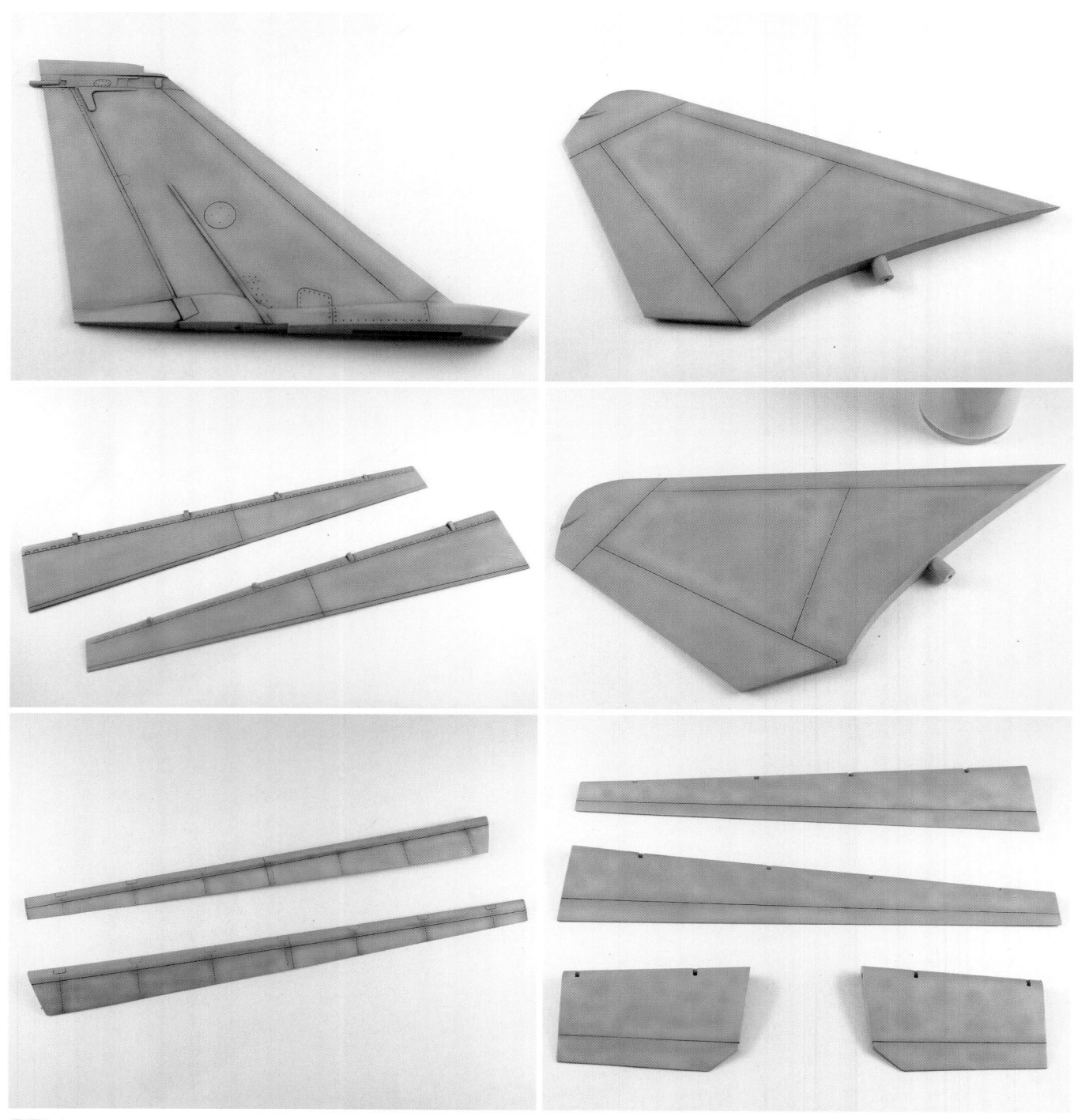

13 磨き出しやウォッシングで下地が露出してしまった部分や、ウォッシングで黒くなり過ぎたパネルラインやくぼみ部分などを、P.36 STEP「塗装1」と同じ塗料を使って補修をしていく。前述通り、補修をしながら事実上第3の色を加えることになり、各部の階調がより豊かになっていく。各部の表情の変化に注目してほしい

This process is correction painting. It's painted by the sense to natural texture. Especially it is for too dark and unnatural color area by sanding the surface or too much washing process. That suggests an expressive change in the surface.

Air modeling weathering master The world of Shuichi Hayashi

14 2番に4番を加えた色も同様に、再び重ねていく。いわば第4の色だ。先の工程**13**より低濃度でより狭い範囲に限定して施していくのがポイント。4つの色がバランスよく配置されているのを確認しながら進めていく。場合によっては先の工程**13**とこの**14**を行ったり来たりしながら納得できるまで繰り返す

I paint more bright color that add No.2 with No.4, and this time, No.4 should be added a bit more and thin to make difference from the color of process (13). The process (13) and (14) should be repeated if it necessary.

15 塗り終えた胴体。同じ色調ながら微妙なトーン差を持つ4つのグレーが折り重なりあい、さらに表情が豊かになった。後からこの色調を再現するのは非常に困難なので、納得いくまで調整して後の工程で損なわれないように場合によってはクリアコートで保護しておく

I can see 4 different tone colors of grey in the fuselage. I protect the surface by lacquer clear coat.

STEP5 補修跡のゾルマスク再現 Expression of a repair mark using a masking sol.

海軍機の表面は頻繁に補修され、しかも結構手荒い方法で塗り直される。グラインダーで腐食部分を研磨し、エアガンで研磨部分をつや消しの機体色で再塗装する。すると塗装部分の周辺に散った部分が砂目になり、汚れが付着・固着しやすい。逆に塗装面の中心は塗料が平滑なので、砂目になった周辺よりは汚れにくい。トムキャットの胴体や翼のあちこちにみられる、袋状に見られる汚れの発生の理屈はそういうことだ。補修時期によっても汚れの重さは変わってくる。この補修痕のみならず、その経年変化を再現するのがゾル・マスキングによる塗装法。発生の原因が人の手によるものである以上、人のサイズを意識してその大きさに気を遣うことでよりリアルな汚れが再現できる。

The surface of the naval aircraft is frequently repaired and applied the paint again by quite rough way. This peculiar dirt is seen by much of carrier aircrafts. This is the phenomenon which happens to be re-applied by flat (matt) paint. It's possible to reproduce this expression by a masking sol.

Mr.マスキングゾル改
●GSI クレオス

16 必ずしもすべての部分に施す必要はないが、ゾルマスクの予定部分に明度のあかるい塗装をしてトーン差を加えておくことで、そこが塗り直されたイメージにする。P36 STEP2「塗装1」で使用した色味が強い場合はP40STEP4「塗装2」の塗料を、あるいはその逆といった調子だ
I changed the base color before puts masking sol, it makes clear differences.

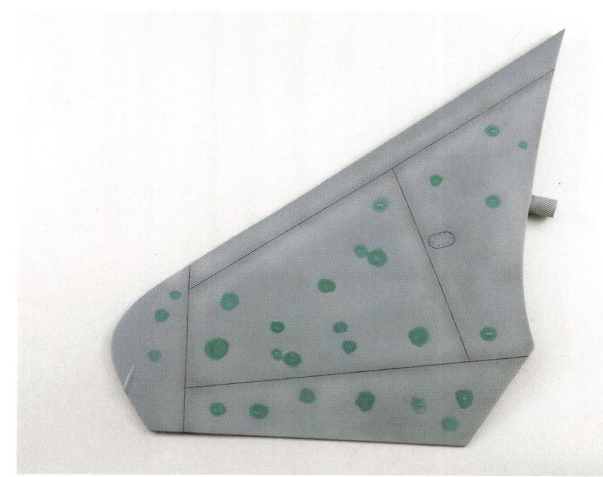

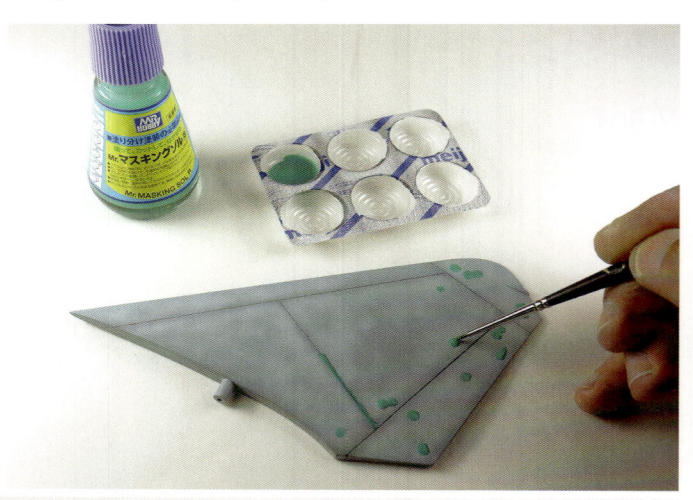

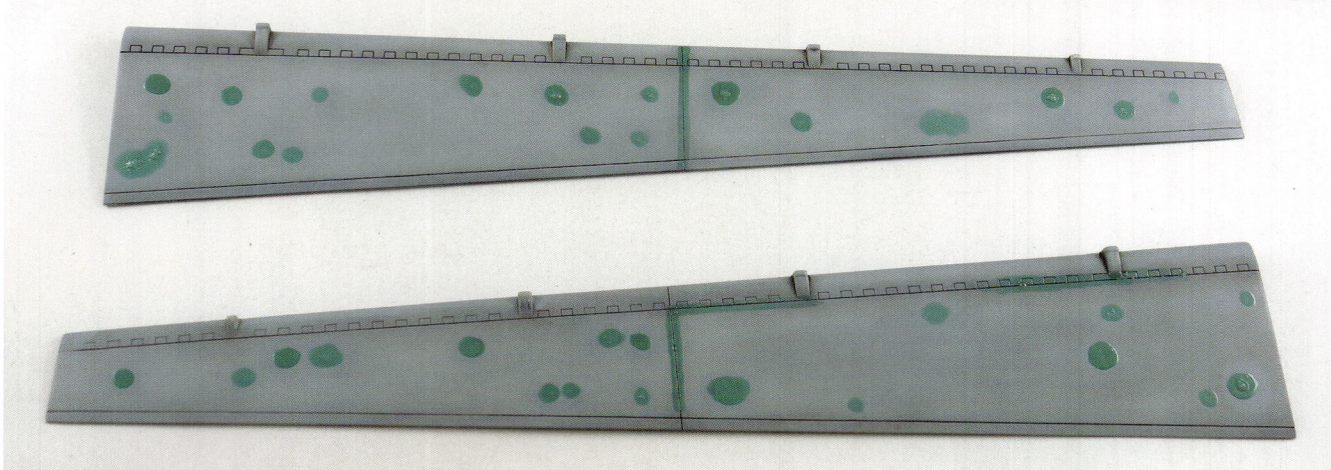

17 マスキングゾルは薄めずに、原液のまま作業したほうがあとで剥がしやすい。円形が基本になるが、修正作業の仕方によっては様々な形状になるので、実機写真を見ながら単調にならないよう施す。過度にオーバーな表現は避けた方が模型的にはいいだろう
Masking sol should be used in original not to thin by thinner, it tends to peel that off easy. The figure of mask may follow from real images.

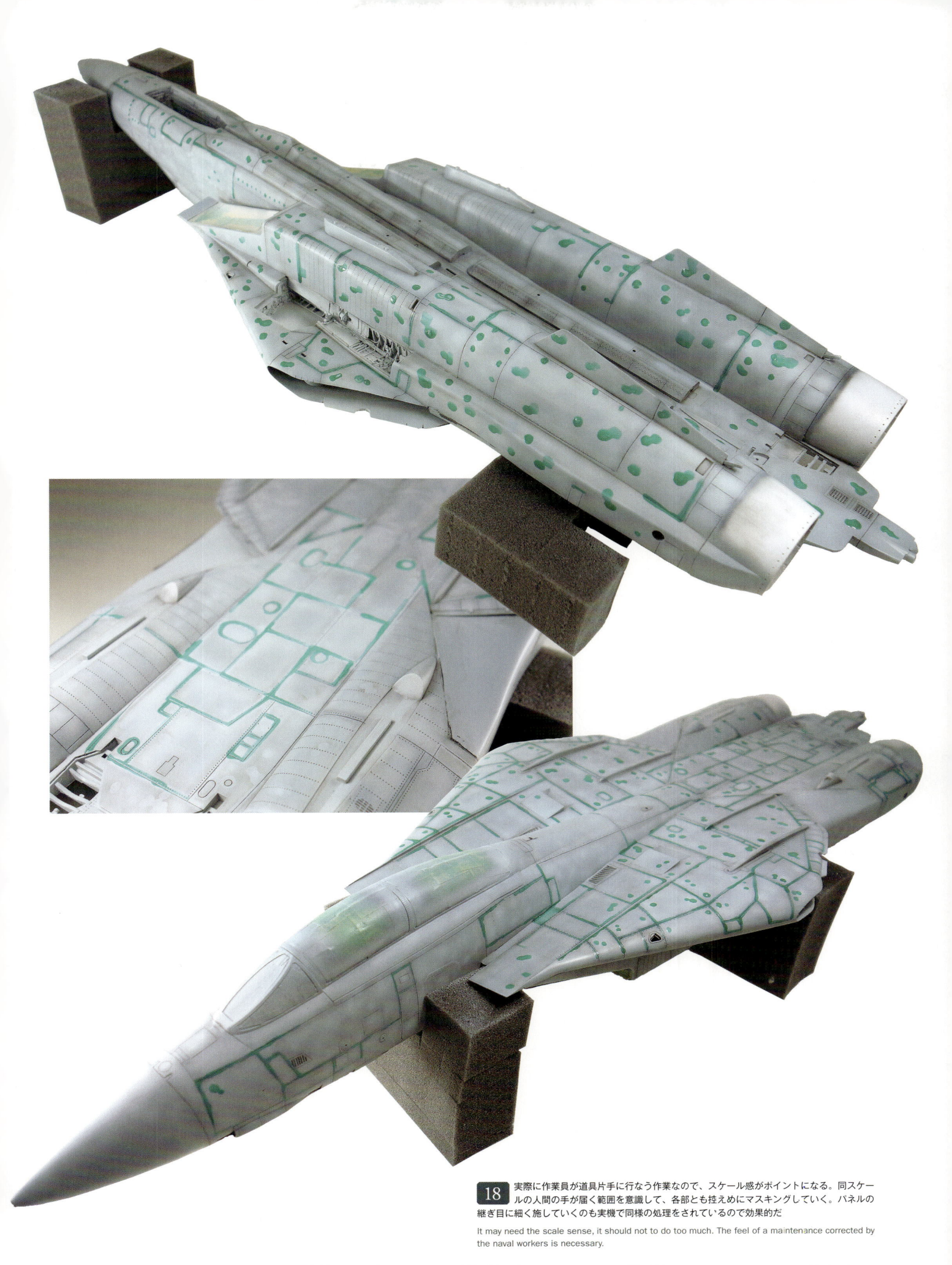

18 実際に作業員が道具片手に行なう作業なので、スケール感がポイントになる。同スケールの人間の手が届く範囲を意識して、各部とも控えめにマスキングしていく。パネルの継ぎ目に細く施していくのも実機で同様の処理をされているので効果的だ

It may need the scale sense, it should not to do too much. The feel of a maintenance corrected by the naval workers is necessary.

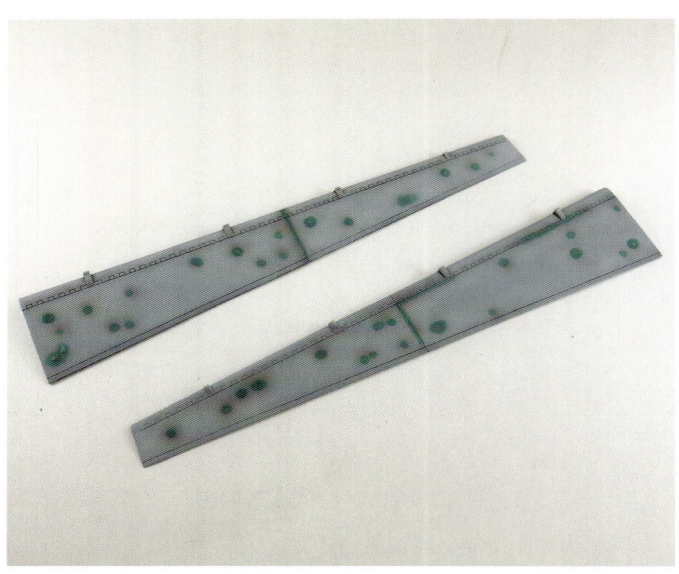
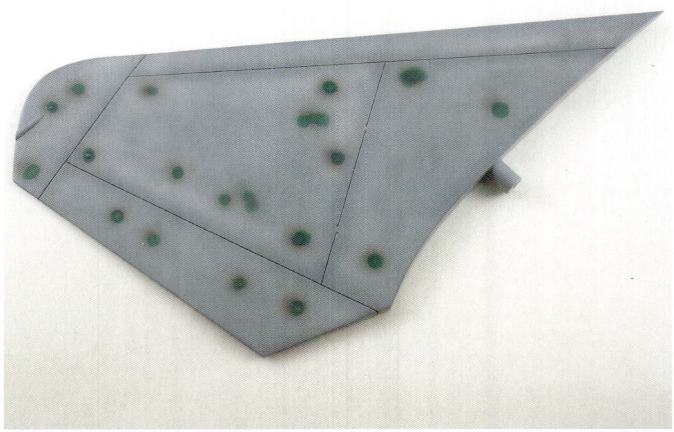

19 塗装にはMr.カラー「スモークグレー」(C101)に「スーパークリアーつや消し」(C182)を加えたものを使う。塗料の性格上、塗装の効果が見えにくく吹き過ぎてしまう傾向になるので注意が必要。ゾルの中心部を狙って塗装していく

I use the mixed color which has added "super clear matt" (C182) to Mr. color "smoke gray" (C101) for painting. I'm applying the color very thin by airbrush into the partial center which applied a masking sol.

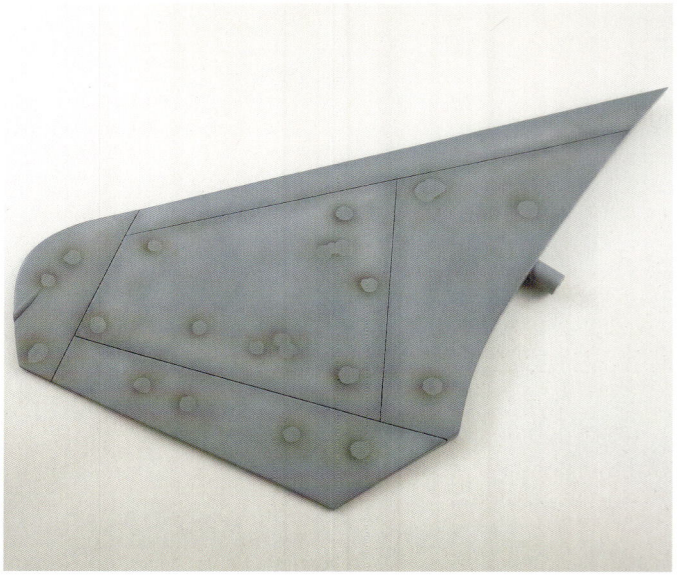

20 塗装が済んだらマスキングゾルを剥がすが、場所によっては剥がしにくい部分も出てくる。特にパネルラインには固着しやすい。その場合はエッチングソーなどを使って掻き出す。平面の場合は両面テープの強い粘着面を利用して剥がすとよい

A masking sol is being peeled off by a double-stick tape and a cutter blade, especially it is in the panel line.

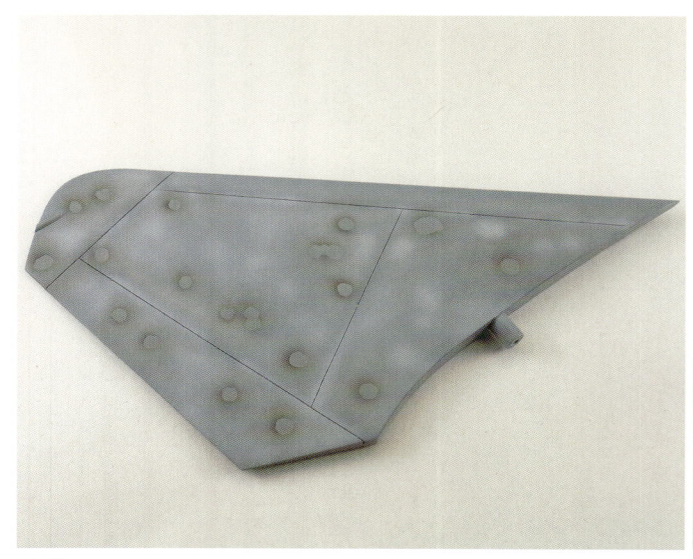
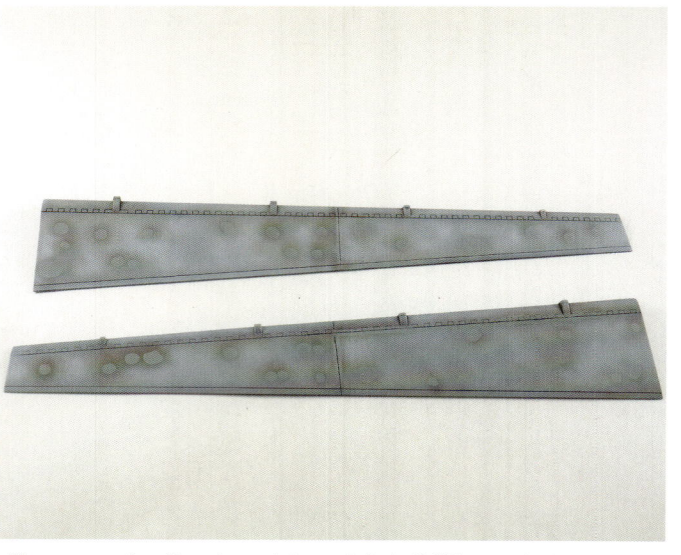

21 スモークグレー塗装が済んだ後、P40STEP2「塗装2」の塗料を使用して周囲に斑を描くことで下地のグレーとなじませてみた。不自然と思われる部分は塗りつぶしてしまうこともある

When an expression with smoke grey is too much, it should fill in gray color that it is used in fuselage paint.

22 スモークグレーが強すぎたり、そもそもゾルの斑点形状が不自然だったりした部分は再度P.36 STEP2「塗装1」の工程で使用したものと同じ塗料を使い修正する。完全に消してしまう部分もあるし、スモークグレーの色味を抑えるだけという部分もある。場合によってはマスキングの段階からやり直す場合もある

This work has simple procedure, but an adjustment the smoke color taste is difficult to control. It's necessary to paint quite thin gray color from the top. If I don't go well, it's necessary to repeat it several times.

23 機体上面は目立つので効果が高い。逆に機首は控えめにして、むしろ機首側面に対して行なうのが効果的。機首側面ではバルカン砲のアクセスパネルのパネルラインやリベット部分に、細かいマスキングを施したうえでスモークグレーを塗装し、リベットはP.36 STEP2「塗装1」で使用した1番と2番を混ぜた塗料を0.2mmのエアブラシで細吹きし、地のグレーとなじませた

When I do this expression to the fuselage upper part and a fuselage side, it has high effect as a result. It's also important often to observe details of expression according from images of real aircraft.

この頁ではウォークウェイや脚部など、機体とは異なる質感表現が混じる、いわゆるディテール部分に着手する。ウォークウェイに吹き付けられたゴム材の滑り止め、タイヤのゴム、ランディングライトのガラスレンズ、油圧ショックのクロームなどだ。細かな部分だが、ていねいに質感表現を施すことによって、完成後に機体全体の実感と動感が飛躍的に向上する。ウォークウェイと、ランディングギアのサンプルとして前脚の塗装工程をステップ・バイ・ステップで紹介する。セオリー自体は基本的ではあるが、そのプロセスに抑揚をつけて、さらに模型用素材のみならず、例えば100円ショップで手に入るマテリアルなども効果的に組み込んで、質感表現に役立てていることがお分かりいただけるだろう。

In this section, I initiate the part of the details where a feel of a material expression different from a fuselage such as a walk way and landing gear. They are the glass lens and hydraulic pressure shock, a skid of a gumwood, rubber of a tire and landing light and so on. These are a small part, but actual feeling and uplifting feeling of the whole fuselage improve on leaps and bounds after completion by doing a feel of a material expression politely. Much of the material used for these is often found at the place which isn't a model store. It's important to have an interest and look for it.

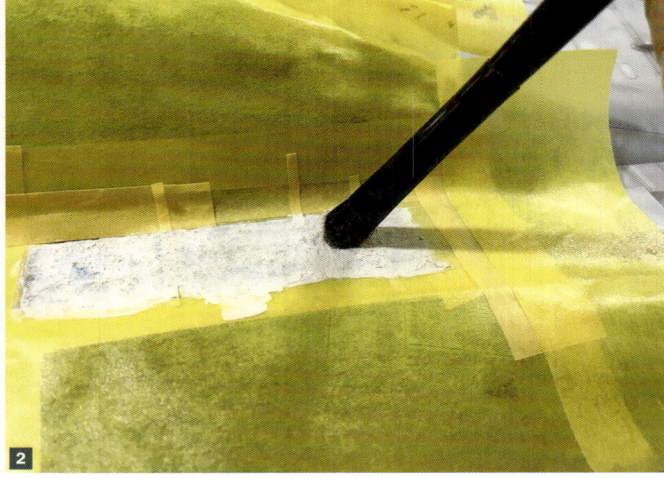

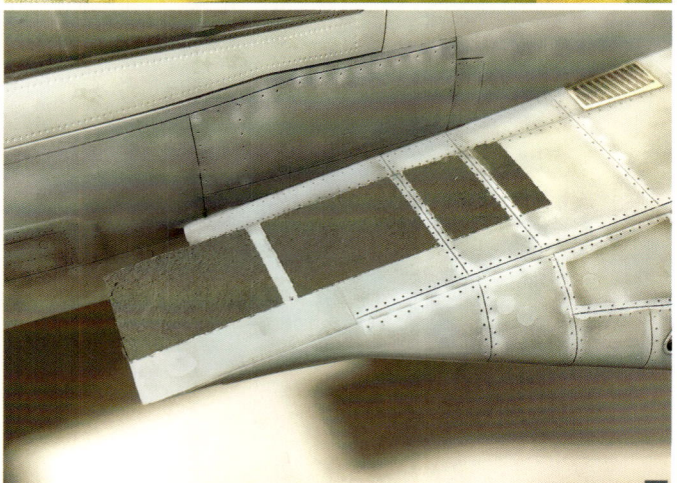

24 実機のF-14は両インテイク上面のウォークウェイに滑り止めのゴムが塗布されて、ざらついたテクスチャーになっている。この質感を再現するために、スコードロン製パテを使用する。**1**まずはウォークウェイ部分をマスキング。**2**パテをうすめ液で溶いたものを全体に薄く塗った上から熊野筆などの毛先の短い硬い筆に適量を着けて、溶いたパテを適量含ませながら上からたたくようにして砂目を付けていく。乾燥が早いので、適宜うすめ液で軟化させながら行なう。この技法は筆を痛めるので、使い古した筆があればそれを使うのがいいだろう。マスキングテープは完全乾燥前に剥がした方がエッジが綺麗に出るようだ。**3**完全乾燥後改めてマスキングを施し、ダークグレイで塗装をする

Rubber of a skid is applied to F-14 as walk way on both of intakes. The surface itself is pretty rough, I used Squadron Products putty for represent it. I applied masking tapes to protect the fuselage from unnecessary putty. Putty is dissolved in a lacquer paint thinner and I apply it by a firm brush like a toothbrush.

◀今回多用しているのが、スコードロン・プロダクト社製のグリーンパテ。いわゆるラッカー・パテだ。国産の同等製品よりも粒子が大きく、乾燥が早いのが特徴。本来のパテとしての使用はもちろん、その粒子の適度な大きさを利用して、質感の表現に用いる。国内価格はちょっと高めだが、あれば重宝する一本
◀The Squadron Products green putty is recommended in this expression to success.

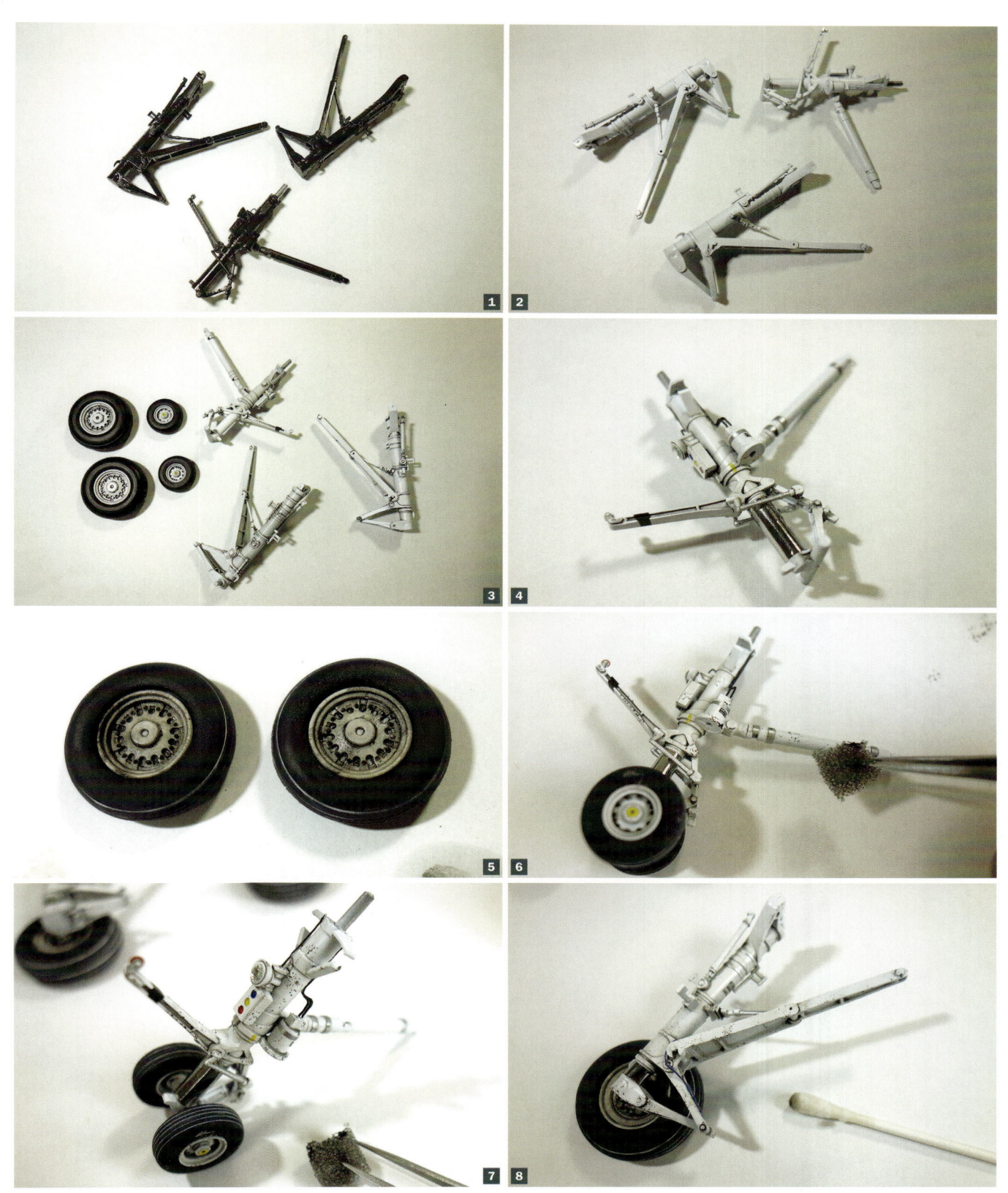

25 ❶塗装前にエナメル線などで簡単なディテールアップを施した。脚柱はディテールが細かく、スミ入れだけでは充分な管理ができないので、まず下地を黒で塗る。❷黒の上にMr.カラー「クールホワイト」（GX1）をシャドウ部分を吹き残すイメージで重ねていく。タイヤは「つや消しブラック」（C33）で塗装し、脚注やホイルなど白い部分はタミヤ エナメル「フラットブラック」（XF-1）に「フラットブラウン」（XF-10）を加えた塗料でスミ入れ、ウォッシングをしておく❸拭き取りが困難な部分は筆を使って少しずつ行なう。❹油圧オレオ部分はハセガワ「ミラーフィニッシュ」を貼り付けた。脚引き込みの油圧装置にまかれた光沢の鈍い銀のバンドはハセガワ「ジュラルミンフィニッシュ」と、使い分けている。❺タイヤは黒の上にMr.カラー「スーパークリアつや消し」（182）を厚めに吹いてゴムの質感を出したうえで、トレッド部分にウェザリングカラー「マルチホワイト」（WC05）を塗り、エナメル薄め液を適量含ませた綿棒で拭き取る。❻脚柱にチッピングを加える。スミ入れで使用した塗料を小さく切ったスポンジに含ませて、ピンセットを使って脚注の表面を軽くたたいていく。❼前脚も同様にチッピング。ランディングライト類はネイルアートなどに使われるラインストーン（アクリル製）をレンズ部分にして、その上にUVクリアを塗布・硬化させ、ガラスの質感を加える。❽チッピングをやりすぎた部分は、エナメル薄め液を適量含ませた綿棒で拭き取る

(1)I added the small details by wire. There is a little shadow for small parts such as landing gear, so it is applied black color before the basic coat paint.(2)I use Mr.color "cool white" (GX1) for basic paint of landing gear,"matt black" (C33) for tires, and use panel liner and washing process as usual. (3)When a wipe of enamel paint is difficult to do, a brush is very handy.(4)Hasegawa Mirror finish is used for a hydraulic pressure oreo part, it is very easy to stuck. It can be expressed very effectively. (5)I painted the rubber tire Mr.color "super clear matt" (182), added Mr.color weathering color "multi white" (WC05). I used cotton swab with suitable amount of enamel thinner to wipe off.(6)I put some chipping effect on the landing gear, use with the sponge as shown. I paint Tamiya enamel color (dark brown) on them.(7)I put the same chipping effect on the front landing gear, and I also put the lens made of small acrylic fiber for decorations as landing light expression.(8)When the chipping expression is too much to add, (over weathered) it can be removed by enamel thinner.

STEP7 塩害表現 Damage from salt water expression

航空母艦をベースとする艦載機は、地上機よりもはるかに過酷な環境にさらされる。そのひとつがいわゆる「塩害」。海水に含まれる塩分を含んだ海水飛沫などが機体に付着し、塩分がイオン化して塗装面を腐食する現象である。飛行機運用上は困った現象だが、その独特な質感は模型的には機体の実感を演出するための格好のエフェクトになる。この項で紹介していくのはそうした「塩害」にさらされた塗装表面の表現手法である。皮肉にも実際の塩の粒を用いて塗装面をマスキングする、いわゆる「塩マスキング」を施すのがそのハイライトになるが、この表現を際立たせるのではなく、他の表現手法と調和させることを念頭に置いて進めたい。あくまでも脇役のエフェクトとして、むやみに多用するのは避けたいところだ。塩害のみならずさまざまな塗装面の劣化の表現として広く応用可能なテクニックでもある。

The carrier-based aircraft based on an aircraft carrier is exposed to the environment quite severer than ground. Seawater spray including the salinity included in seawater is stuck in a fuselage. The salinity is the phenomenon which ionizes and corrodes a paintable surface. The peculiar feel of a material will be the suitable expression to produce actual feeling of a aircraft in modeling back ground. The expression technique of the painting surface exposed to "damage from salt water" is introduced in this section. I suggest that it's also possible to apply this expression in different way from salt water expression. Various expression technique should harmonize. That arranges a balance of the whole model itself.

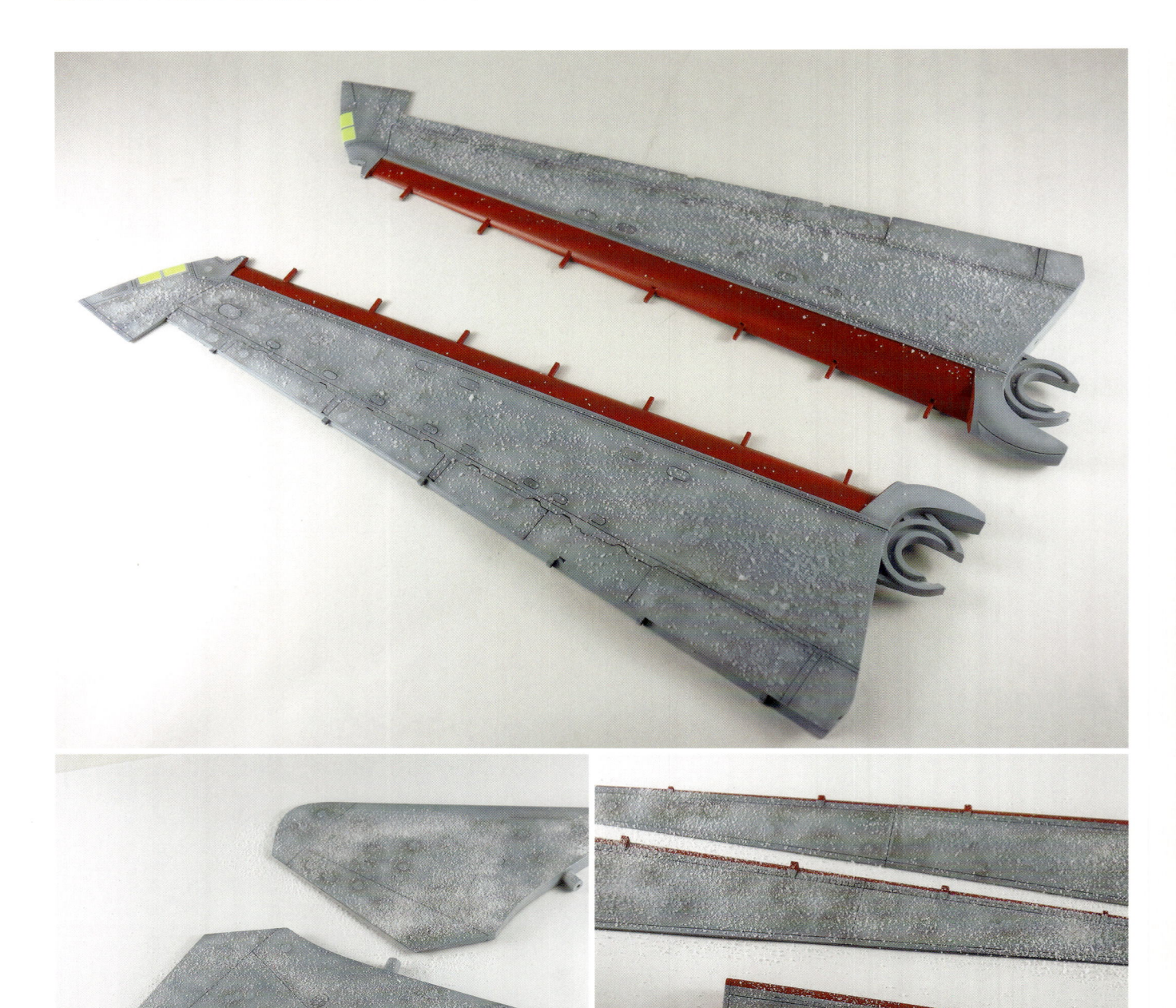

26 表面に塩を撒いたところで定着しないので、AKインタラクティブ製「剥がれ表現液」（AK088）を定着剤として（「剥がれ表現液」はヘアスプレーのように粘着性があるため）使用する。「剥がれ表現液」をエアブラシで薄く塗布して塩を均一に撒き、乾燥させて塩を定着させる

I use the AK interactive "worn effect" (AK088) for fix the actual salt, this material is quite similar effect of hair spray. AK088 should be used in airbrush, therefore it may need to thin with the warm water.

27 この技法はリベットやパネルラインの少ない平坦な部分に効果的で、その逆の部分は、それまで施してきたエフェクトを帳消しにしてしまうリスクがあるので注意したい。「剥がれ表現液」は乾燥が早いので手早く作業する。食卓塩などの穴あきキャップのついた容器を使うと塩を均等に撒くことができる

This technique is effective in a little flat part of rivet and a panel line however, there is risk of put out the other effect that has done. Dryness is early for this solution. It's important to work quickly. When a bottle is used just as it is, the salt is easy to sprinkle.

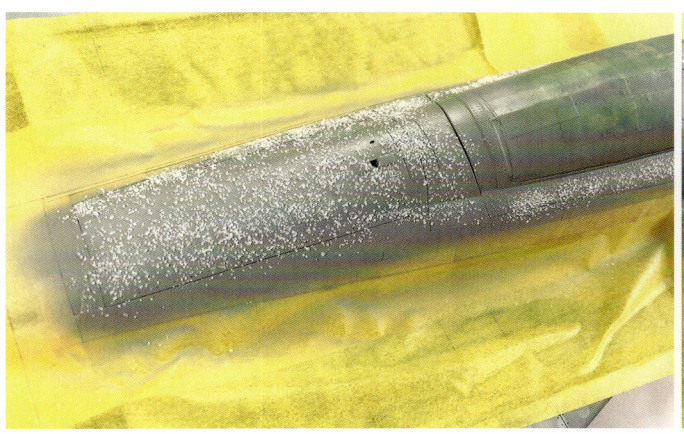 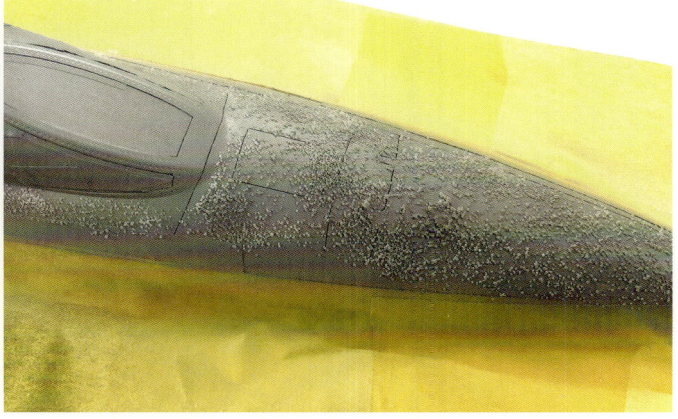

28 塩の粒子があまり細かいと、定着剤の糊成分で溶解してしまう。それを防止する意味から、同時に定着剤の塗膜を薄くするためにも、定着剤を若干の水で希釈して薄く吹き付ける。乾燥は比較的早いので、狭い範囲に定着剤を吹いて乾く前に塩を撒く、という作業を繰り返す。塩が定着したら、モデルカステンカラーの2番に4番を加えて下地とは異なる明度にした塗料を、塩を撒いたエリアの内側を狙ってエアブラシで塗装する（写真右）

A particle of salt is so small. It dissolve by a glue ingredient of a fixative. I dilute a fixative with the water which is slightly and I blow that thin. It avoids the melt of salt itself. It gets dry completely. I use Modelkasten color No.2 added with a bit of No.4. It's painted by an airbrush.

剥がれ表現液
●AKインタラクティブ（AK088）
WORN EFFECTS
●AK interactive（AK 088）

29 塗料乾燥後、筆とぬるま湯を使って塩と定着液を洗い流す。「剥がれ表現液」は前述のとおり糊成分を含むため、残っていると後々白化することがあるので、完全に落とすよう心がける

After paint dryness, I scour salt and fixed liquid using a brush and lukewarm water. I try to drop them perfectly because of dirty obstacle in the surface.

30 塩マスキングは塗装中に効果を確認するのが難しいので、塗装後に修正を施す。状態に応じてP.36 STEP2「塗装1」またはP.40 STEP4「塗装2」で使用した塗料を上から塗装し、下地のグレーになじませる

It's difficult to confirm the effect during painting, so salt masking does correction after painting. I paint the paint used by gray color according to the state from the top. I make base color foundation match.

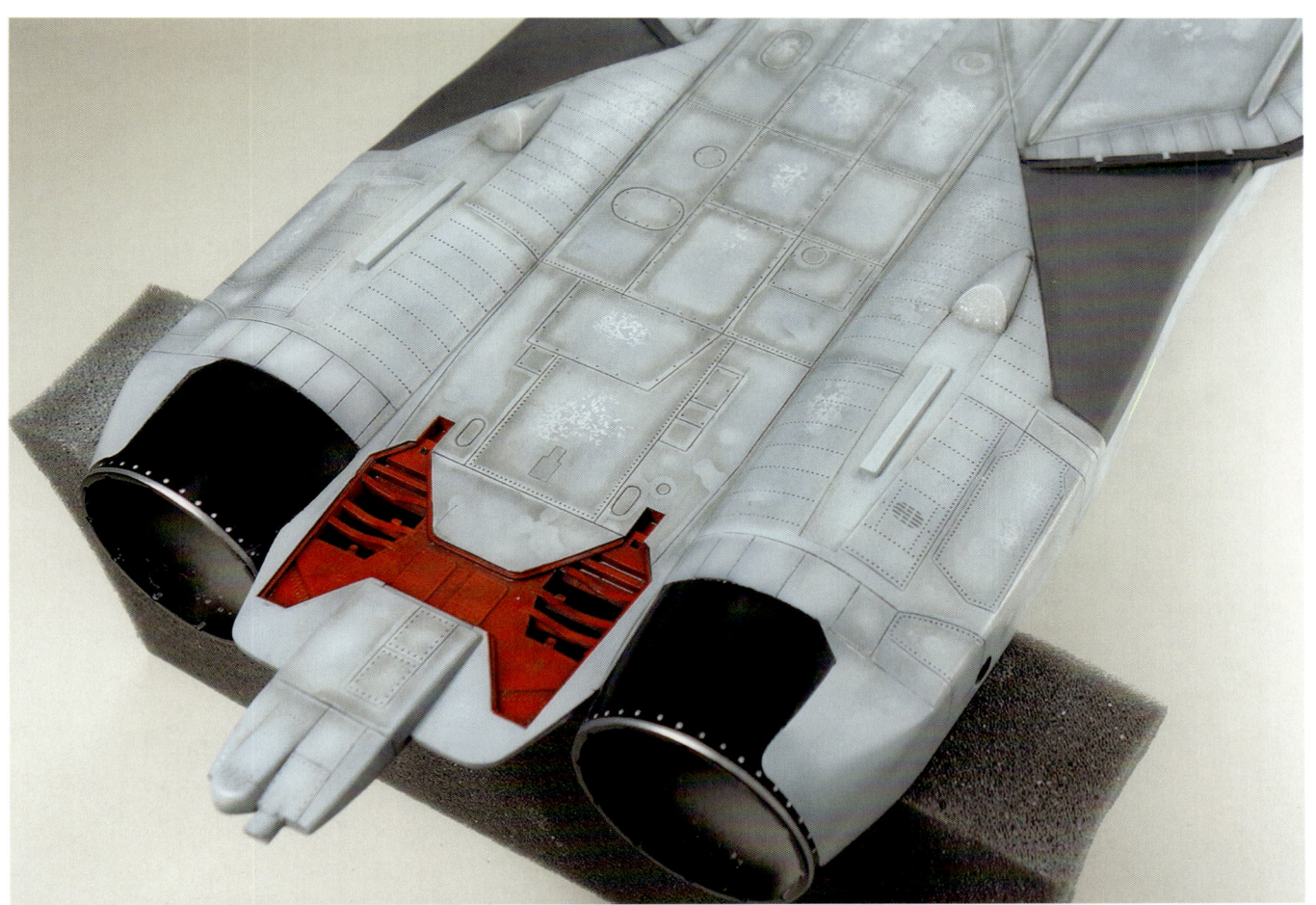

31 胴体上面の塩害表現も同様に修正をかけていく。部分的には、タミヤエナメル「フラットホワイト」(XF-2) にごく少量の黒を加えた塗料を塗り、拭き取ることで塩害表現をぼかすこともある。塩マスキングを施した部分は塗膜が弱いので、充分乾燥させた後、Mr.カラー「スーパークリアつや消し」(182) で押さえ、定着させる

I'm also applying correction to a damage from salt water expression in a fuselage surface. Painted film is weak in the part where salt masking was done. After making them dry sufficiently, I make them settle with Mr. color "super clear matt" (182)". A damage from salt water expression is shaded by giving a coat of the paint which has added a little white enamel color such as Mr. color weathering color.

GSIクレオスのMr.ウェザリングカラーの「グランドブラウン」(WC02)を使用して表面の油膜滲みを、AKインタラクティブの「フューエルステイン」(AK025)を使用してオイル漏れを施していく。今までモノトーンだった機体に、赤みを差して表情を出させる工程でもある。機体の全体的なウェザリングは、事実上最終コーナー、この段階でいい質感になればほぼウェザリングは成功だ。仮に不完全でも、最後までバランスを整えるイメージを忘れずに持っていればよい結果が期待できるし、これまでの工程での細かなエラーは気にしなくていいだろう。

I express an oil film spread in the surface using "ground Brown" of weathering color (WC02). AK interactive "fuel stain" (AK025) expresses oil leak. When it's the good feel of a material at this stage, weathering process is success mostly.

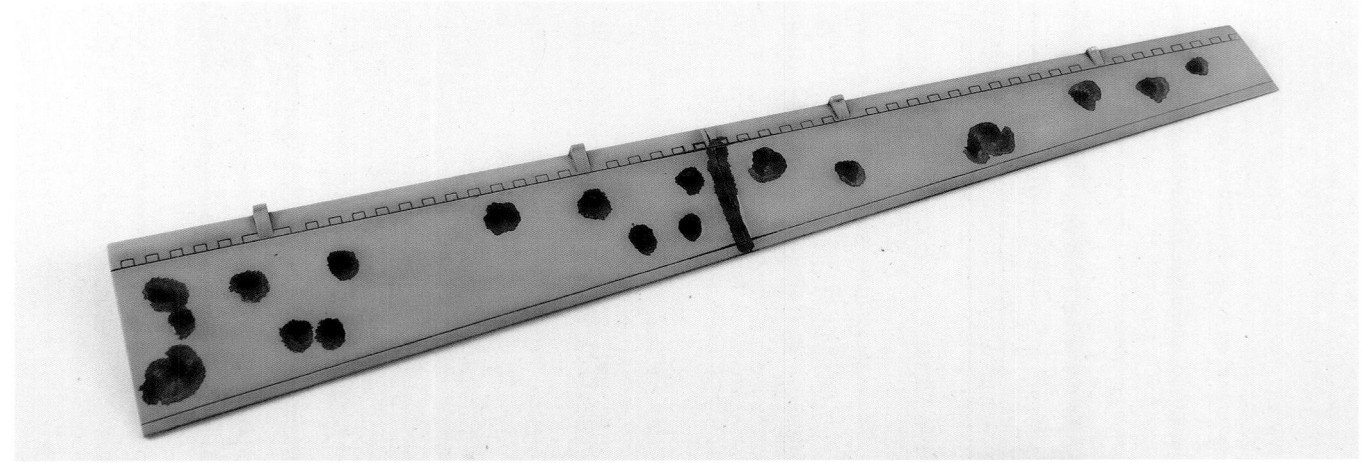

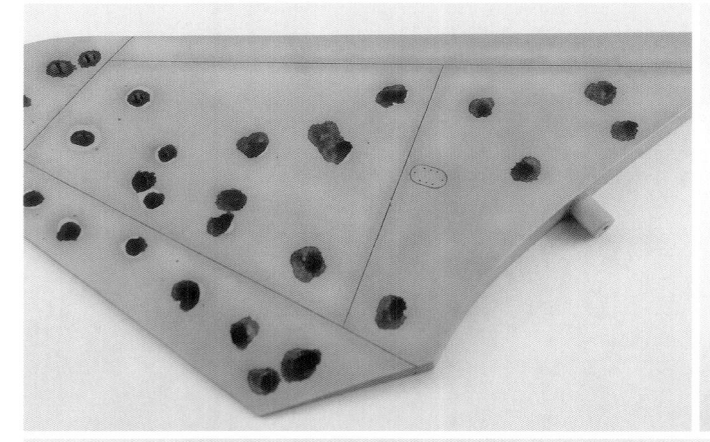

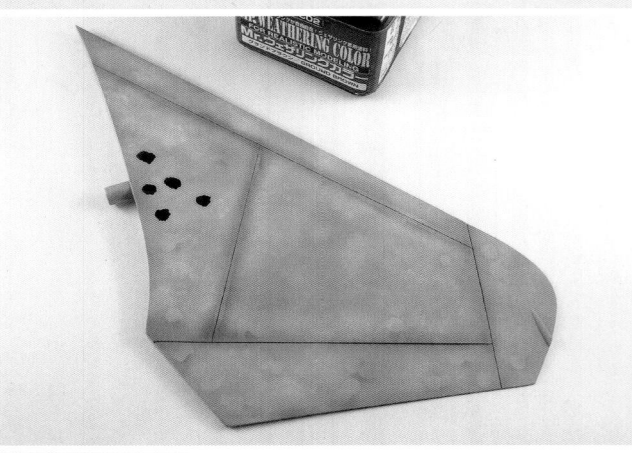

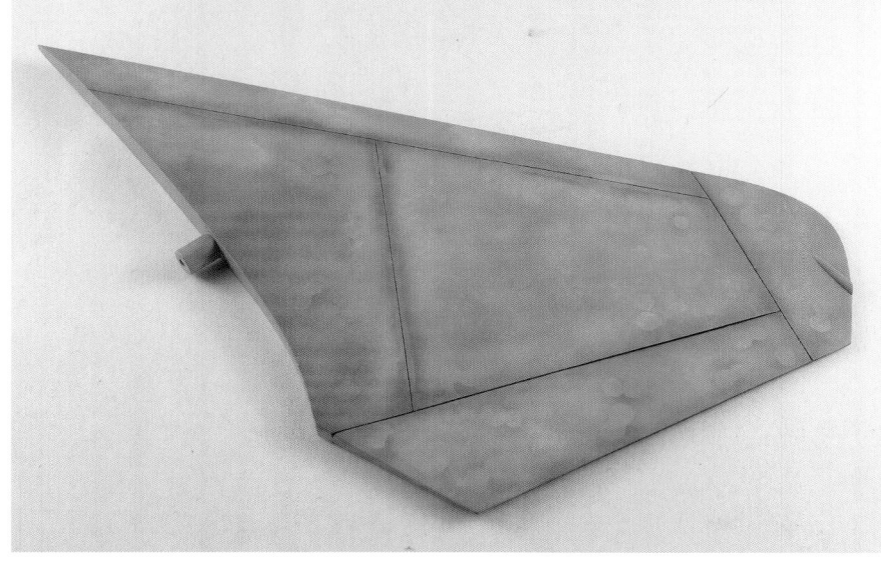

Mr.ウェザリングカラー グランドブラウン
●GSIクレオス(WC02)
Mr.WEATHERING COLOR GROUND BROWN
●GSI Creos (WC02)

32 実機で整備員の靴墨などが付着する際などにできる黒ジミを再現する。ウェザリングカラー「グランドブラウン」(WC02)を点付し、古い筆を使ってできるだけこまめに拭くてうすめ液の含み具合をコントロールしながら点付けし、拭き取り、伸ばしを繰り返していく。毛先が傷んだ使い古しの筆を3本ほど使い分けると、筆ごとにタッチが微妙に変わり、表情に変化が出る

I represent the black quietness which can be made the occasion in which maintenance worker's shoe polish is stuck. I put weathering color "ground Brown" (WC02) in dot and it's wiped as briskly as possible using an old brush. Hair ends use about 3 brushes which spoiled appropriately. A touch turns subtle every brush.

33 整備の際などに、人が踏み上ったり人の手が触れる部分、あるいはオイルを使用すると思われるエンジン周りなどを中心に、エナメルによるウェザリングをかけていく。さらにその上からタミヤ「ウェザリングマスターB」(87080)をこすりつけるようにしていくと、汚れが乾燥して粉っぽくなった質感を表現できる

I express the part where person's hand touches or steps on and goes up when the maintenance has started. and I also express the dirt around the engine by which it seems to use oil. I use Tamiya weathering master B (87080). I can express the feel of a material which came to look like powder.

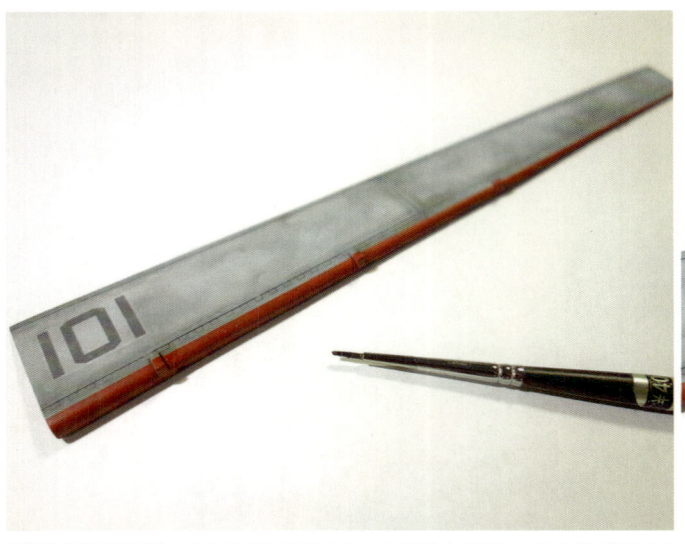 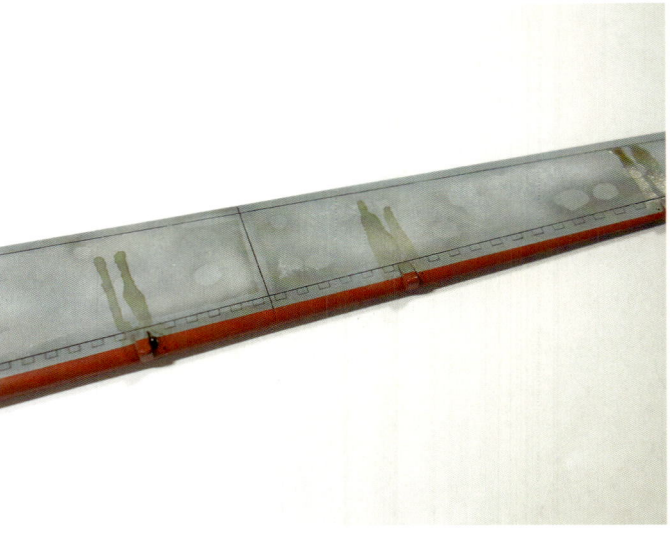

34 可動部分に発生するオイル漏れを再現する。ヒンジ部分から後ろへ向けて、細い筆でAKインタラクティブ「フューエルステイン」（AK025）で線を描くように塗っていく。エアブラシの風を当てて、自然な吹き流し跡を付ける場合もある

I represent the oil leak which occurs to a movable part. It's being applied so that a line may be drawn by AK interactive "fuel stain" (AK025) by a thin brush. I turn the current of air of an airbrush to make a natural streamer.

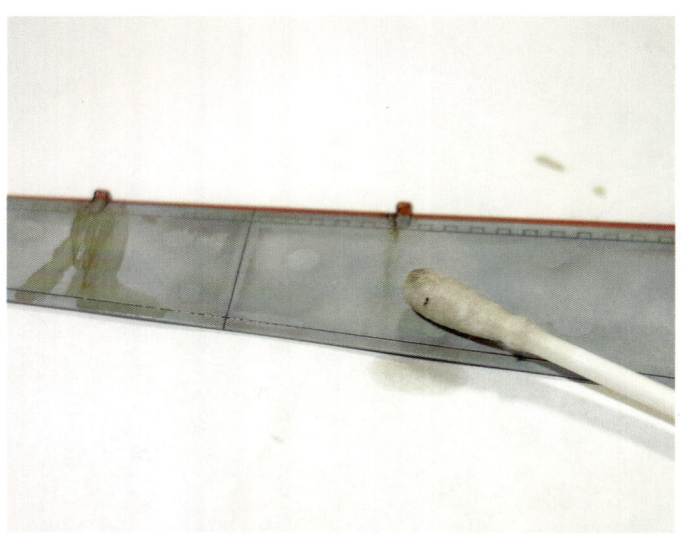 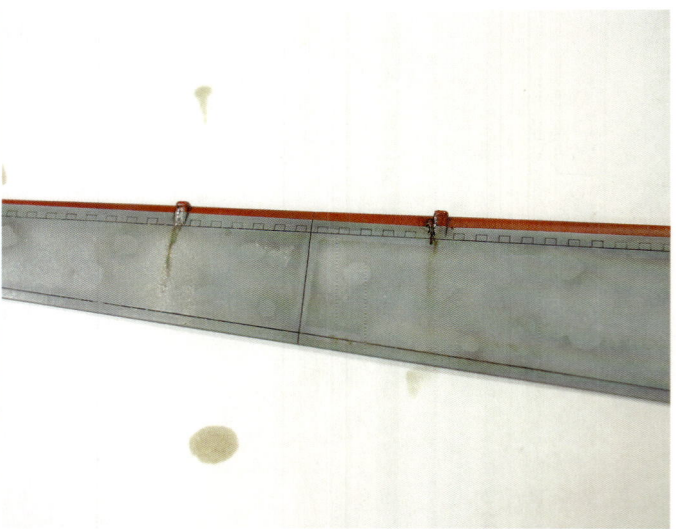

35 エナメル系溶剤を含ませた綿棒を使って、塗料をぼかして表面になじませる。スジ状の油垂れを書き込む場合は全て同じ大きさ・長さにすると不自然なので、ランダムになるように施す。薄い箇所と濃い箇所など、メリハリを付けるのも重要

I shade paint and make the surface matched. I use cotton swab filling with a bit of enamel thinner. It's also important for a thin part and a thick part to put modulation.

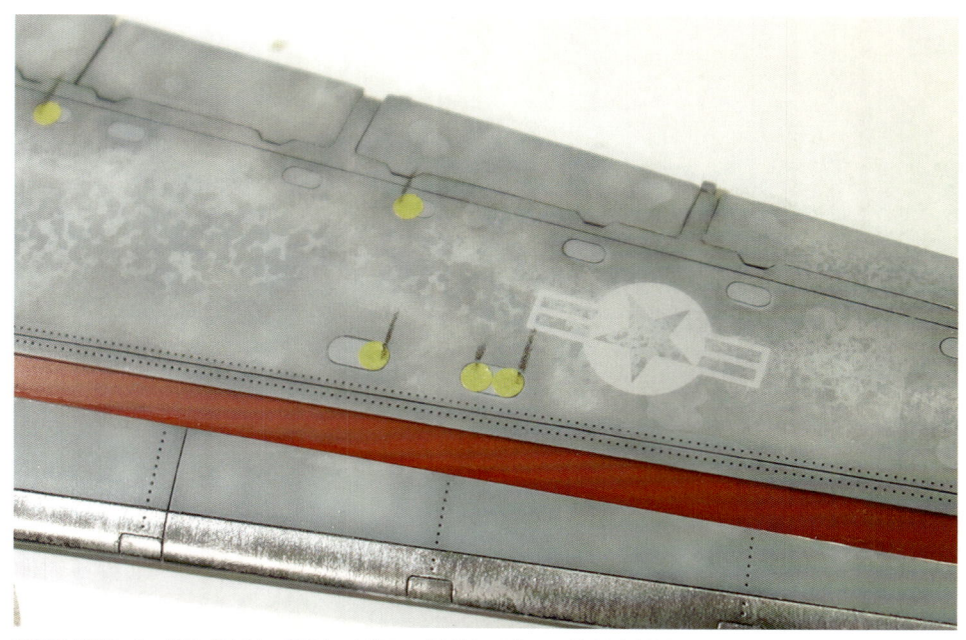

36 鉛筆や、ウェザリングライナー「泥色セット」（PP202）などのマテリアルで油垂れを直接書き込み、エナメル系薄め液でぼかしながら点検口の縁にも同様のエフェクトを施す

I write directly on the wing by a pencil and weathering liner "the mud color set" (PP202). I shade it by the enamel thinner. That also gives an effect to an edge of the inspection hole.

フューエルステイン
●AKインタラクティブ（AK025）
FUEL STAINS
●AK interactive（AK025）

37 オイル漏滲みと漏れのエフェクトが完了した胴体上面。脚周りやエンジン付近のパネル境界、取り外し可能なパネルを留めているリベットなどの汚れそうなところを選んで、オイル漏れのエフェクトを重めに施している

The fuselage surface where an effect of an oil leak spread and leakage has been completed. I do this expression around the landing gear and a panel boundary around the engine. In this time, I do an effect of oil leak rather heavily.

STEP9 主翼の擦れ表現 Worn-out expression of a main wing

F-14特有の汚れが、主翼を展開した時に現れる、付根についた同心円状の汚れだ。主翼表面がその可動部を被覆するブーツと擦れ合って、汚れが同心円状に伸展される。コンパスと綿棒を主に使ってそれを再現するテクニックだが可変翼ならではの特徴でもあり、これが再現できると実感が飛躍的に高まるはずだ。またそのパターンは他の汚れと同様、機体ごとに実に様々で一様ではない。実機の写真でその特徴を把握しておき、自分なりの汚れのパターンを想定しておくのも大切だろう。

When developing a main wing of F-14, circular pollution appears. This kinds of dirt is extended concentrically. When this can be represented, actual feeling should be achieved. This is the technique which uses a compass and a cotton swab mainly. It will be also important to grasp its feature by a picture of the real aircraft and assume the pattern of the own dirt.

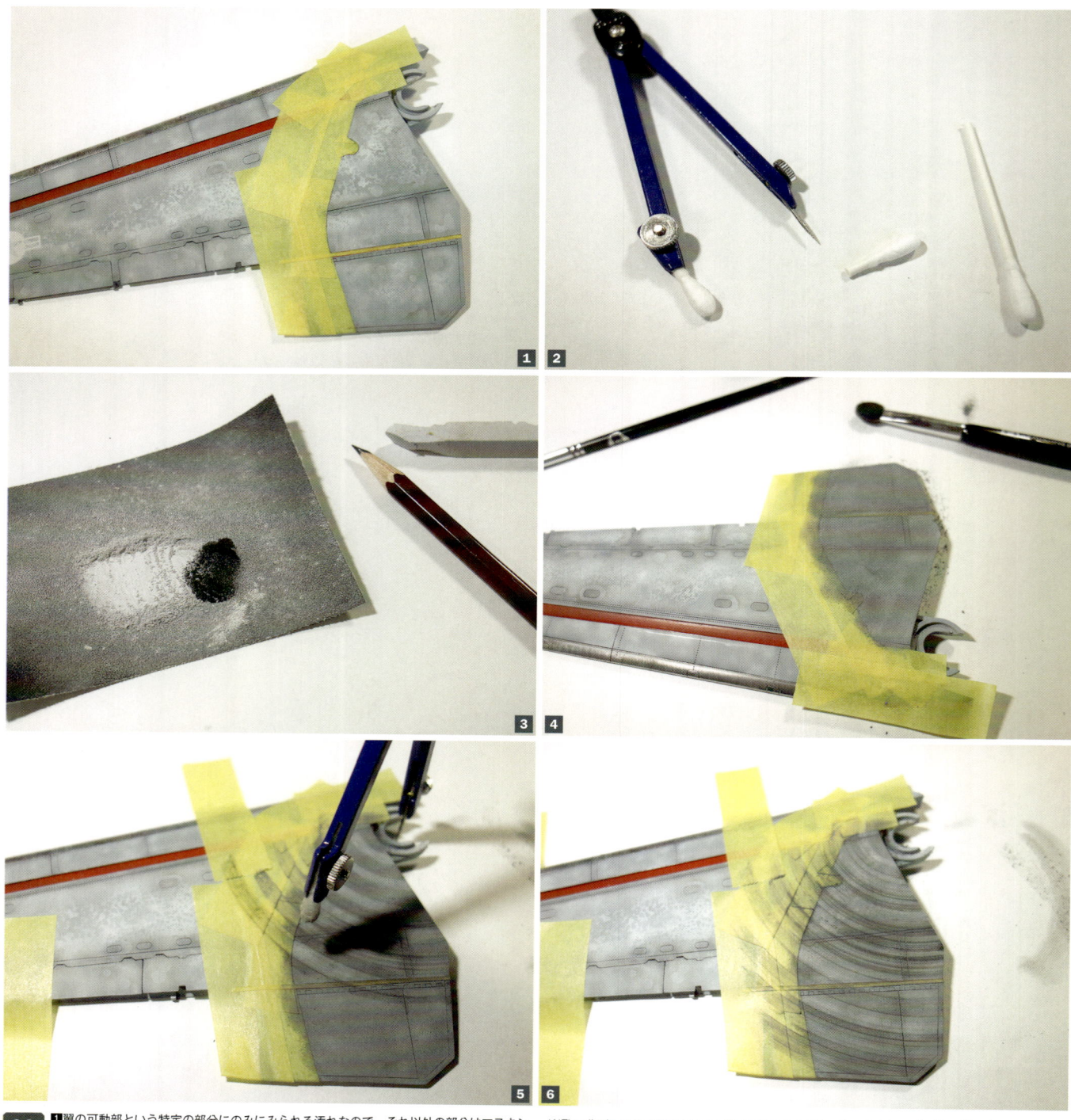

38 ①翼の可動部という特定の部分にのみにみられる汚れなので、それ以外の部分はマスキングをし、塗料の乗りをよくするためにツヤ消しクリアーを吹いておく。②コンパスの先に短くした綿棒を差し込む。③2B程度の鉛筆の芯、ライトグレーのパステルなどをサンドペーパーで粉末にしておく。パステルだけでは定着が悪い。④③をタミヤウェザリング用スポンジ筆で、マスクで囲った部分に薄くぬり伸ばす。⑤主翼を固定し中心がずれないようにしてエナメル薄め液を含めたコンパス先の綿棒で拭き取っていく。⑥作業が済んだら、クリアーでコートしておく

(1)The dirt is seen only in a specific part as a mobile of a wing. I masked besides the mobile of a wing. I blow lacquer rmatt clear color for foundation of paint on it.(2)I put in the cotton swab made short-legged first.(3)I grind a core of a 2B pencil and gray pastel into powder by a rough sandpaper. (4)It's applied thin by a brush of a sponge.(5)I wipe it up not to clean all of it by a cotton swab that is filled with a bit of enamel thinner ahead of the compass.(6)I coat with lacquer clear color on it after it has completed.

STEP10 金属表現 Expession of metal

迷彩塗装機と言えども、金属の地金が出ている部分は少なくない。ジェットエンジンのノズルや、各翼の前縁などはその代表的な部分だ。金属肌の表現は飛行機模型に必ず付いて回るもので、その良し悪しが飛行機模型の説得力を決するといっても過言でないだろう。またメッキとは異なり、外板の精製時に生じた研磨痕がみられる。いわゆるヘアラインと呼ばれるパターンもだが、それも模型的に再現すれば、実感は一気に高まる。今回のF-14のみならず、もちろん無塗装機にも応用できるテクニックなので実践してみよう。

There are a lot of parts where a metallic character is revealed for an aircraft. That's a leading edge of a nozzle of a jet engine and each wing. The grind scar which has formed at the time of refinement of a metal plate is seen on the aircraft surface. The pattern called a hairline. When it also represent that in scale model, actual feeling rises quickly.

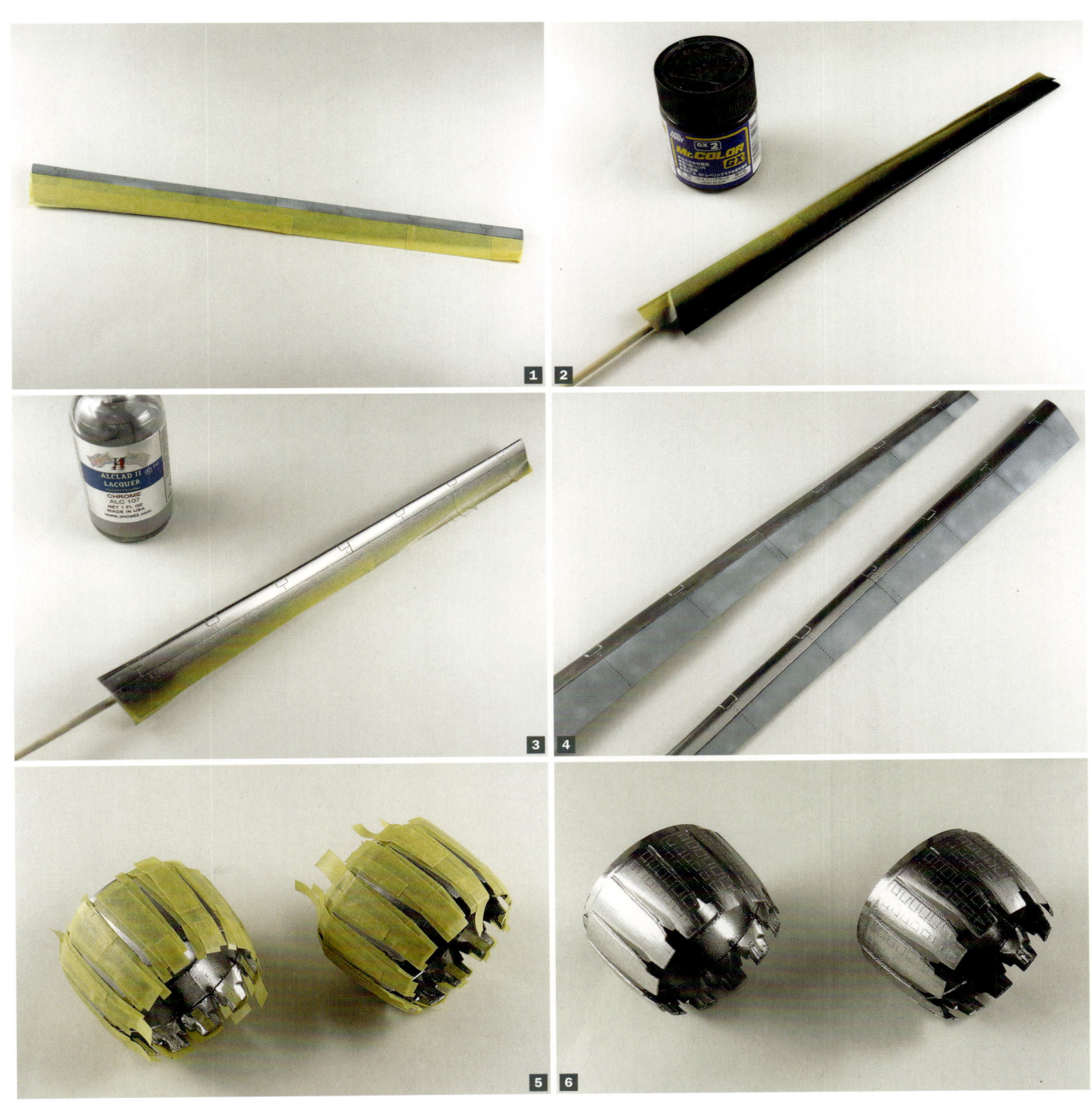

39 ■1塗装しない部分はマスキングで覆っておく。■2まずはMr.カラー「ウイノーブラック」（GX2）で塗装し、表面を整える。■3金属塗装に使用するのは、アルクラッドII「クロム」（ALC107）。これをエアブラシで塗装する。乾いたら、AKインタラクティブ「トゥルーメタルアルミニウム」（AK455）と熊野筆を使って、ヘアラインを描いてゆく。「トゥルーメタル」は油彩なので、アルクラッドを痛めることがあるので要注意。■5■6ジェットノズルはMr.カラー「スーパーメタリックカラー クロームシルバー」（SM06）で塗装。アイリス板摺動部のトーンを変えるため、マスキングをしてアルクラッドII「クロム」（ALC107）を塗ったが食いつきが悪く、どうやらマスキング塗装には向いていないようだ

(1)I use masking tapes on unnecessary parts.(2)It's painted with Mr.color "ueno black" (GX2). The surface is arranged with this for metallic paint.(3)I use the alclad II "chrome" (ALC107) for metal painting. If that's dried, AK interactive "true metal aluminum" (AK455) is used. The hairline texture is being drawn by this.(4)After it gets dry, masking will be peeled off and completed.(5)(6)The jet nozzle is painted with Mr.color super metallic color"chrome silver" (SM06).

STEP11 爆弾や増槽 Accessories of a bomb and fuel tanks

機体固有のものではない要素だが、爆弾や増槽は機体に躍動感をもたらしてくれる名脇役だ。ここも機体同様に手間をかけて質感表現や汚しを施していく。爆弾のような消耗品も、必ずしもピカピカの新品というわけではなく、保管中に汚れやサビが発生している場合が多く、また鋳造独特の地肌を持っていたりする。燃料タンクも繰り返し使われるものなので、機体と同様の汚れが発生している。再現テクニックついては前述の、機体に施してきたエフェクトと重複する部分も多々あるが、既に行なってきた機体のウェザリングとバランスを取りつつ、これら兵装類の質感と汚れの表現を施してみることにする。

A bomb and fuel tanks are great supporting stuffs that brings an uplifting feeling to a aircraft model. Consumables like a bomb aren't always shiny newness. Dirt and rust often generate that during safekeeping. A fuel tank is also used repeatedly, so dirt like a fuselage occurs. The dirty expression of them will be introduced in this section. There are also many parts where I overlap with the effect given to a fuselage.

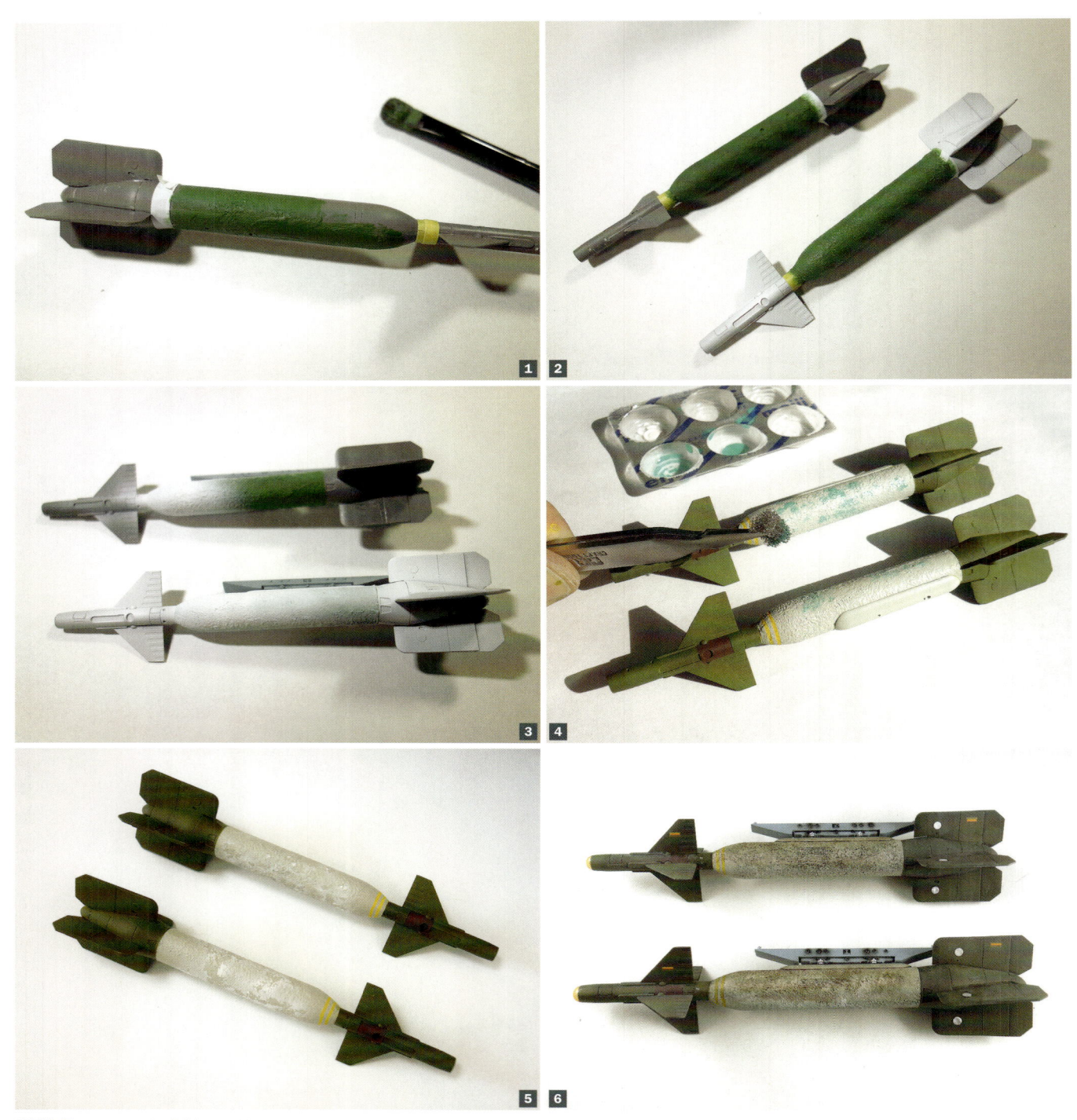

40 ■ウォークウェイの質感表現と同様に、スコードロンのグリーンパテを使用する。前後をマスキングしてうすめ液でのばしたパテを塗り、熊野筆で叩くように塗り重ねる。■パテの塗布が完了した状態。■精密誘導弾の中央胴体をライトグレーで塗装。■より細かいパターンにするためスポンジでマスキングゾルを塗布。■下地より明るいグレーを塗装して、砂目状の質感の表現ができた。■さらにウェザリングカラー「グランドブラウン」(WC02)で、サビ状のディテールを入れた

(1)I use Squadron Products green putty to make the texture for bomb with hard brush as shown in walk way expression.(2)Appling putty is completed.(3)I paint light gray color on the center body of laser guided bomb.(4)I use sponge to apply masking sol for make the tiny pattern on the texture.(5) I use a bit of light tone gray color at this time, it makes the pattern of granular.(6)In addition, the rust-like details were put in with weathering color "ground brown" (WC02).

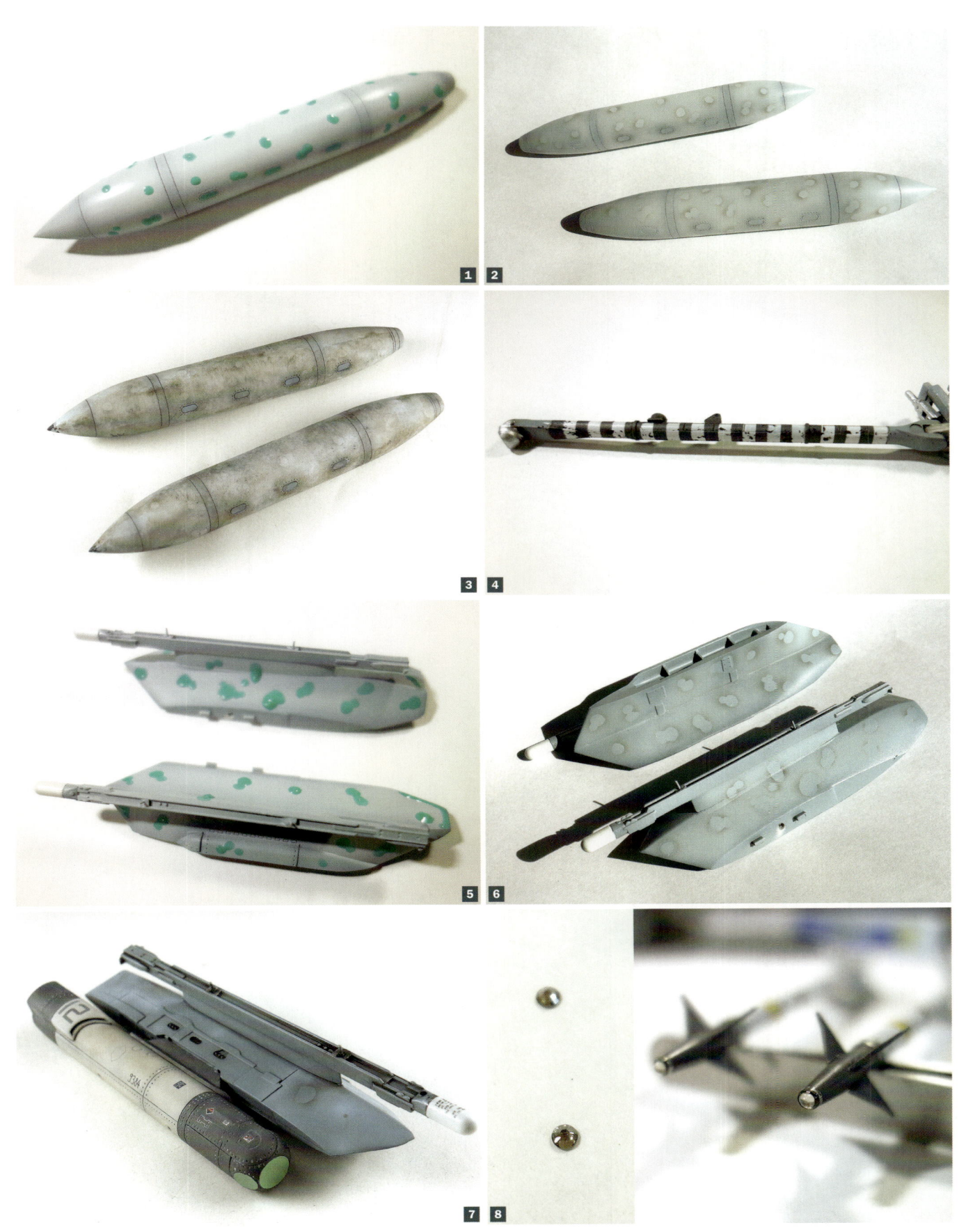

1 タンクにも機体同様、ゾルマスキングで補修痕を追加。**2** ゾルの上からMr.カラー「スモークグレー」(C101)を塗装する。**3** 塩マスキングを施し、機体同様の塩害も表現。**4** ファレホの「ブラック」(169)を使ってスポンジ・チッピング。半分ほど乾いたところでエナメル溶剤を綿棒で含ませるとチッピングの粒が小さくなり繊細なチッピングパターンになる。**5** パイロンにもゾルマスキングを施す。**6** ゾルの上から「スモークグレー」(C101)を塗装。**7** ランターンポッドのセンサー部分は、ハセガワ「ホログラムフィニッシュ」に「偏光タイプフィニッシュ」を重ね貼りしたものを使用。**8** ミサイル先端のシーカーはランディングライトと同様、ラインストーンを使用し、UVクリアで光沢を増している

(1)A repair scar is also added to the tank by sol masking like a fuselage.(2)Mr.color "smoked gray" (C101) is painted on the masking sol.(3)Damage from salt water like a fuselage is also expressed by salt masking technique as shown.(4)I use sponge for easy chipping expression use with Vallejo "black" (169). Even if that's dried half I soaked a cotton swab in an enamel thinner and wipe it up. A grain of a tipping will be small and be the delicate tipping pattern.(5)Sol masking is also given to a pylon parts.(6)I use Mr.color "smoke gray" (C101)(7)A sensor part sticks HASEGAWA "hologram finish" on, and moreover, the polarized light type finish" is piled up.(8)Seeker in a missile point uses shiny stone and it increases gloss using by UV resin like landing light.

Completion

完成した機体の上面。基本はシンプルなグレー1色の迷彩だが、単なる風雨による汚れだけではなく、補修や整備など人の手が介在することでより複雑になった汚れのパターンを、模型の文法のなかで余すことなく表現した作品となった。また主翼付根の軸を中心に発生する擦れを再現することで、可動翼であることも説明され、動きのあるイメージも付加されている。幾重にも積層されたエフェクトが生み出す各部の表情はひとつとして同じところはなく、見ていて飽きることがない。

The image of upper surface that has completed fuselage. An expression in each part the effect produces isn't the same taste and that is in a variety. I represent grazing expression which generates from an axis of a main wing joint section. It's also explained that it's a mobile wing, and an image with a movement is also added.

機体下面はより的を絞った最少限のエフェクトで構成されており、上面と比較するとシンプルといえるが、それゆえ増槽や爆弾などそれぞれ質感の異なる個性が際立ち、機体側のシンプルさと程よいコントラストを生み出している。また写真ではいまひとつ目立たないが、くすんだ機体のグレーと、輝くばかりのベアメタルの対比も鮮烈だ。「強調」と「弱化」の極意が、垣間見える。

The fuselage underside consists of the minimum effect on which I focused. It can also be said that it's essential and simple when it's compared with an upper surface. The different in the feel of a material of fuel tank and bomb stands out very nicely. The contrast of gray of a darkish fuselage and the metal which keeps being brilliant is also vivid. The innermost secret of "emphasis" and "weakening" can see from this image.

TAMIYA 1/32 scale
VOUGHT F4U-1D CORSAIR

Air modeling weathering master The world of Shuichi Hayashi

F-14と同じ海軍機ながら「大戦レシプロ機」であるF4Uコルセア。基本的な技法は同じくしながらもその取り回し・アプローチは現用ジェット機と大戦機とではおのずと異なってくる。一方、思いのほか難しさを伴うブルーの色調コントロールもまた、塗装の技法・段取りを考える上での大きなテーマだ。しかしながら、チッピングや液垂れ痕といった表現とも相まって、現用ジェットよりも模型的な演出の余地を比較的広く取れる大戦機は、その分自由度が高いともいえる。その自由を有効活用しながら、F4Uコルセアならではの重量感ある魅力に迫る「応用編」ともいえる林流塗装法を堪能しよう。

F4U is naval aircraft in WWII. It has a little difference from modern aircraft according to the time and usage background. The basic technique is same as modern jet painting, but the approach are being quite different. I need my own imagination from the little and indistinct information. Therefore, I can get a scale model expression of overuse characteristics if I compare with modern aircraft.

STEP1 コクピット、エンジン、脚の塗装 Painting of a cockpit, an engine and landing gear

脚部やコクピットなど、タミヤ1/32 F4Uコルセアは繊細な彫刻が豊かで実感あるモールドが特徴だが、ウェザリングカラーの拭き取りだけでは陰影の表現が難しい。そのため黒で立ちあげて影を残しながら塗装する。塗装の塗膜があまり厚くなると塗り分けやドライブラシなどによるメリハリをつけるのが難しくなってしまうので注意したいところだ。コンソール盤面などの塗り分けはあらかじめウェザリングマスターでドライブラシを施しておくと、境界が確認しやすくなる。使用したカラーは、Mr.カラー「アメリカ陸・海軍機 イギリス空軍機 特色セット」に入っている「インテリア塗装色」(364)が良い色だったので、調色はせずそのまま使用している。

I paint using with the advantage of mold abundant in a delicate sculpture. I use black color for under surface before paint the major color to make fine modulation. When painted layer of painting becomes so thick, it becomes difficult to apply and a separation of color modulation by a dry brush. The small and complicated parts like cockpit interior should be dry brushed before paint them to identify the detail. For major interior painting, I use Mr.color "The interior painting color" (364).

1 ①脚柱をMr.カラー「ブラック」(C2)で塗りつぶし、下地とする。②下地の黒を影として塗り残すイメージで、タイヤのブラック、脚柱の銀を塗装する。塗膜の強いMr.カラー「クロームシルバー」(SM06)を使用した。タイヤのゴム部分はウェザリングに備えてツヤ消しクリアーを薄めに塗装する。オレオ部分はハセガワ「メタルフィニッシュ」を貼り付けた。③ウェザリングカラー「マルチホワイト」(WC05)、「グランドブラウン」(WC02)、「サンディウォッシュ」(WC04)、AKインタラクティブ「フューエルステイン」(AK025)を使用し、ウォッシング。細かい部分は筆を用いて拭き取る。④基本的な汚しを終えた主脚。⑤タイヤのトレッドにはMr.カラー「RLM79サンドイエロー」(C119)を塗り、拭き取る。ゴム製なので定着は悪い。塗装前にサンドペーパーで表面を荒らしておくといいだろう。⑥すべてのエフェクトを終了した主脚

(1)I paint landing gears with Mr. color "black" (C2) as base layer.(2)I use Mr.color "chrome silver" (SM06) for landing gear. This color has a little tolerance to enamel treatment. The rubber tire paint as matt clear to coat. It helps the enamel weathering very effective. The oreo part stuck Hasegawa "metal finish".(3)Mr.color weathering color "multi-white" (WC05), "ground Brown" (WC02), "sundae wash" (WC04) and AK interactive "fuel stain" (AK025) are used for washing process. A small part is wiped up using a brush.(4)The basic weathering expression has done on main landing gear.(5) Mr.color "RLM79 sand yellow" (C119) is applied a tread of a tire and it's wiped up carefully.(6)The effect of main landing gear has completed nicely.

2 ■1コクピット前後のバルクヘッドには、薄めたエナメルのブラックでウォッシング。■2ダッシュボードは陽に焼けた感じを出すために、ウェザリングカラー「マルチホワイト」(WC05)を筆塗りして拭き取る。■3バルクヘッドにタミヤ「ウェザリングマスター Aセット」(87079)を使ってドライブラシをかける。■4サイドコンソールや計器盤などのエッジはタミヤカラー「クロムシルバー」(X-11)でドライブラシをかけ金属感を出す。■5計器盤の凸部分は、タミヤ「ウェザリングマスター E」で(No.98)ドライブラシ。■6完成したコクピット。今回シートベルトはWAKO紙創り「米海軍機シートベルト」(FP-30)を使用、紙製なので慎重に扱う。■7コクピットの左右のウォールをMr.カラー「アメリカ陸・海軍機 イギリス空軍機 特色セット」に入っている「インテリア塗装色」(364)で、尾輪収納部はMr.カラー「艦底色」(C29)で塗装。奥に行くにしたがって暗くなるよう、黒でグラデーションをかける。■8機体側面はタミヤカラー「フラットブラック」(XF-1)に「フラットブラウン」(XF-10)を多めに混合したものを使用して、ウォッシングをする

(1)I use black enamel paint color for washing expression to inside of cockpit section.(2)Weathering color "multi-white" (WC05) is used and wiped up for represent the feeling of degradation.(3)I use Tamiya "weathering master A set" (87079).(4)Tamiya enamel color "chrome silver" (X-11) is used in dry brush for front panel.(5)The height part of the dashboard is represented to high brightness by Tamiya "weathering master E"(No.98).(6)The cockpit has completed, I use paper worked seat belt as shown in this time.(7)I use Mr.color "the interior painting color" (364) for side of the wall, I use Mr.color "ship under tone" (C29) for the tail gear bay. These parts also apply black as foundation painting.(8)I did washing process as shown. Tamiya color "flat brown" (XF-10) is mixed rather much in "flat black" (XF-1) in this time.

3 ❶糸ハンダを使ってプラグ線を追加。孔を開けて差し込むのではなく、裏を平らに削って接着したほうが接着面が大きく取れるので、曲げなどのストレスに強い。❷シリンダー部分は黒立ち上げ。❸陰影を意識しながら、シリンダーをMr.カラー「クロームシルバー」(SM06)で塗装。❹銀塗装が完了し、タミヤカラー「フラットブラック」(XF-11)でスミ入れをした前後シリンダー。❺ギアケースはMr.カラー「エアスペリオリティブルー」(C74)で塗装後、脚柱同様ツヤ消しクリアでコートし、ウェザリングカラー「グランドブラウン」(WC02)とAKインタラクティブ「フューエルステイン」(AK025)を使って汚しをかける。黒いリングはタミヤカラー「クロムシルバー」(X-11)でドライブラシ。❻排気管はブラウンで塗装後つや消しクリアーを吹き、機体に取り付け後、ウェザリングマスターを少量のアクリルうすめ液で溶いたものを塗り付けておく。❼完成したエンジン。ギアケース上面はウェザリングカラー「サンディウォッシュ」(WC04)など明るい色で汚しを乗せて乾いたイメージに出している。❽下地の黒とシルバー、スミ入れでバランスを取った陰影がよく効いて立体感を出している

(1)I add a plug line using solder wire. The way where the back was shaved flatly and it was glued together is easy. A bonded surface also becomes large. So the wire itself fix well.(2)An engine cylinder applies black color before paint as silver.(3)I use Mr.color "chrome silver" (SM06).(4)I use pin wash process with Tamiya color "flat black" (XF-11).(5)After matt paint coating ,I use Mr. color "air superiority blue (C74) for gear case. I express the dirt on it with AK interactive "fuel stain" (AK025) and weathering color "ground brown" (WC02). I also use dry brush expression with "Chrome silver" (X-11).(6)An exhaust is painted as blown color coated with matt clear color, use weathering master to express rusted impression.(7)I represent right dirt and dry expression on surface of gear case use by weathering color "sand wash" (WC04) as the bright color.(8)The use of enamel color to metallic paint is made minimal.

以降の塗装の発色を考慮して、下地は白のサーフェイサーを使用する。一様に吹くならば缶スプレーを使用してもいいのだが、気になる部分、工作処理を施した部分には集中して塗装したいので、ビン入りのサーフェイサーを希釈してエアブラシで塗装している。今後塗装するのは暗色の機体色なので、あまり神経質になってをムラなく塗る必要はないだろう。サーフェイサーの後にはパネルラインに沿って濃色をエアブラシで塗装する。通常の「下地」作りであれば黒を使う作業だが、今回はいわゆる下地とは若干意味が異なる。色を重ねて透過するのではなく、濃く塗ったラインをつぶさずに、そのまま生かして行くからだ。そのため黒ではなく、Mr.カラー「グロスシーブルー」(C365)を使用している。

I consider coloring to appear so I use white surface primer in this time. I use panel line color with Mr. color "gross sea blue" (C365) as shown. I carefully blow it by airbrush.

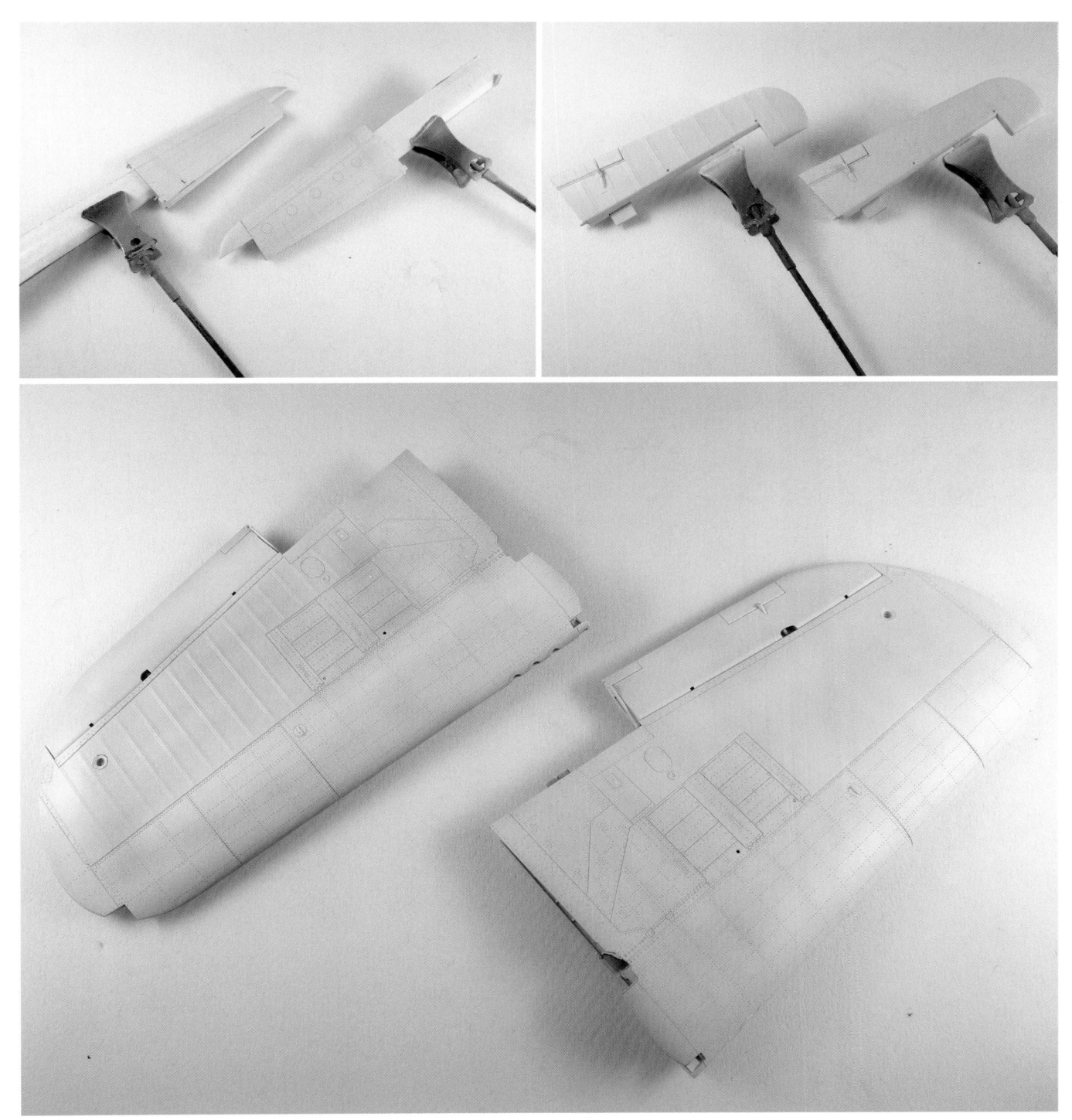

4 後付け予定の動翼や主翼外翼など、パーツごとに白のサーフェイサーをエアブラシで塗装していく。外翼を取り付けていないのは、今後この部分に特有のエフェクトをかけていく都合上、別にして置いた方が取り回しがいいためだ

Small parts are painted beforehand and it makes a different taste of expression.

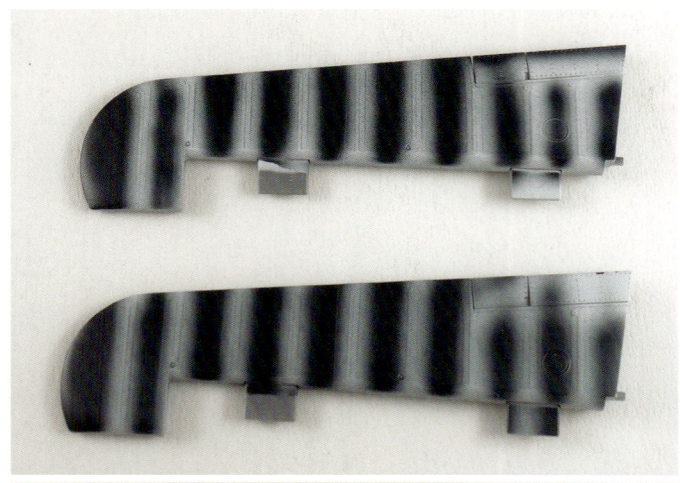

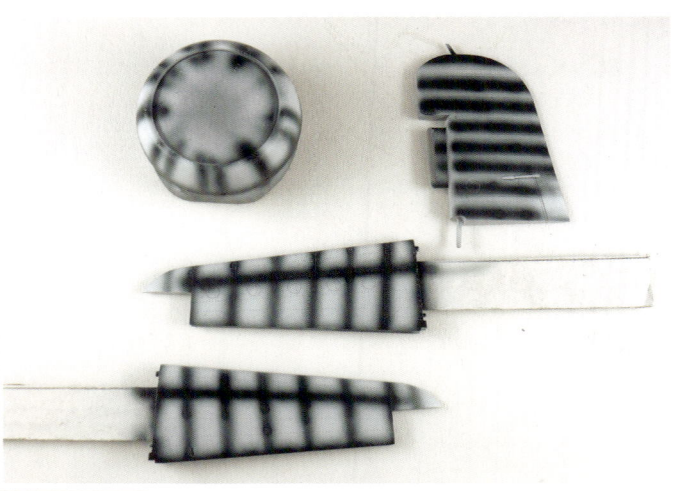

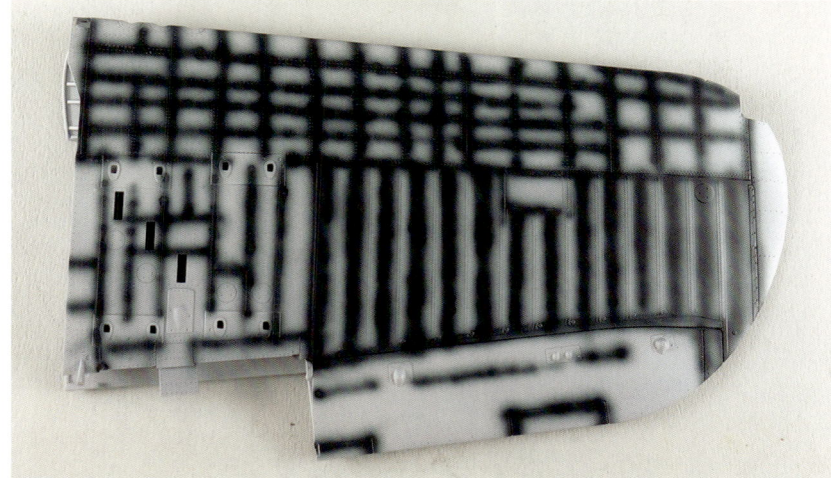

Mr.カラー C365 FS15042 グロスシーブルー
● GSI クレオス No.CS682
（WW2 アメリカ海軍機 標準塗装色 特色セット）
Mr.color C365 FS15042 GROSS SEABLUE
● GSI Creos (No.CS682)
WW2 U.S.NAVAL AIRCRAFT
STANDARD COLOR SET

5 0.2mmのハンドピースを使って、パネルラインに沿ってMr.カラー「グロスシーブルー」（C365）を塗装していく。キットはリベットやパネルラインが非常に稠密にモールドされており、すべてのラインに塗装しようとすると結果的に全面を塗りつぶしてしまう。そのため間隔が3〜4mm以下の部分は省略している

Mr.color "gross sea blue" (C365) is being painted along a panel line using 0.2 mm needle of hand piece. It isn't necessary to do this painting to any molds.

6 ラインを引き終えた機体。かなり高い密度でラインが塗装されていることが分かる。以降、このラインを避けるように色を乗せていくので、いわゆるシェーディングとは異なる考え方。キャノピーなどもいったん仮付けして塗装する

The panel line painting has done. The next painting doesn't hide these line. This usage pays attention to a point that interpretation is different from introduced articles in F-14.

STEP3 基本塗装 Basic paint

いよいよ本格的な塗装に入る。基本的には前頁でも使用したMr.カラー「グロスシーブルー」（C365）を使用するが、白を加えて若干明度を上げた色を用意する。この「グロスシーブルー」は白に対する反応が強く、ちょっとした比率の違いで明度が上がってしまうので注意したい。前項で説明した通り、ラインに塗ったブルーをつぶさず、その隙間を埋めていくイメージで塗装していく。次のSTEP4でリカバリーの工程を用意しているので、上に乗ってしまっても気にすることはない。むしろリカバリーを積極的にかけることによって、トーン差にバリエーションが生まれ、表情が豊かになる効果も期待できる。

I use Mr.color "gross Sea blue" (C365) adding with a bit of white. A reaction to white is strong in gross sea blue". The brightness rises by the difference in the delicate change of color.

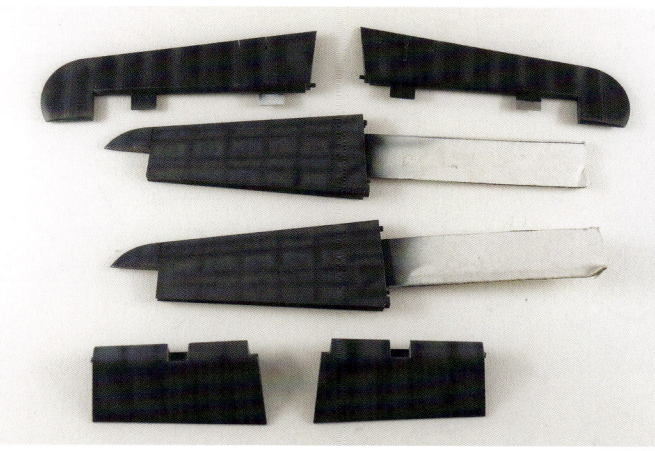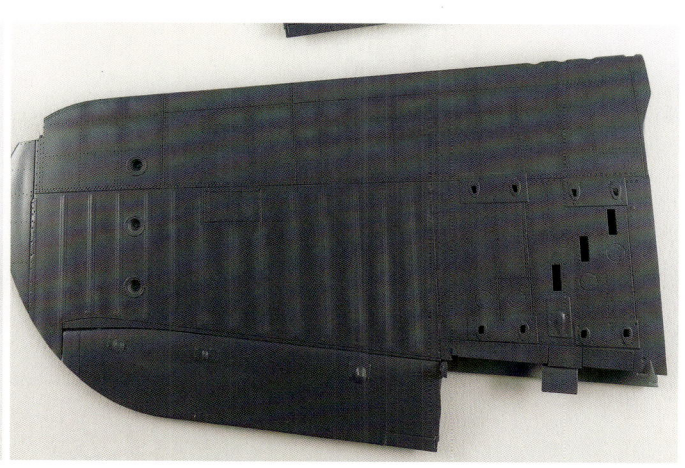

7 動翼や尾翼、外翼など後付け予定のパーツを個別に塗装していく。0.2mmのハンドピースを使って、あらかじめ引いたラインの間を埋めるように塗っていく

Mr.color "gross sea blue" (C365) is being painted along a panel line using 0.2mm needle of airbrush.

8 機体全体もこの通り。後付けする予定のキャノピーや胴体上面の給油ハッチも仮付けしたまま塗装する。色調のばらつきをなくし、同時にコクピットなど内部をマスキングする役目もある。当初意図した明度差が失われて、トーンが平坦になってしまった部分もあるが、それは次の工程でリカバリーしていく

I painted fuselage as the same way as shown, This is the quite monotonous finish. But this is improved by next process.

この項で行なうのは修正作業のひとつ。前工程でメリハリが失われてしまった部分に再度、明度差を付ける作業だ。もちろん前工程まででメリハリがついている部分に行なう必要はない。再びMr.カラー「グロスシーブルー」(C365)を若干明るくして、ラインを描く。塗料は充分に希釈して、最初の下地よりもさらに細く塗装していく。一方、コルセアの外翼には羽布張りの部分があり、この質感の差異を表現するための下地作りも行なっていく。今後のウェザリングや質感表現を施していくうえでの素地となる。

Before being washing in this process, the strength tone of the painting expression is added again. I don't do in any parts, the part that complete well is left. The part of the wing like flap is suitable for a fascinating expression. I use Mr.color "gross Sea blue" (C365) add a bit of white again. It should be thinned more than before.

9 機体右側面。Mr.カラー「グロスシーブルー」(C365)を若干明るくしてパネルラインなどにラインを描くように塗装する。必ずしも機体すべてに施しているわけではなく、逆に施さない部分を作ることで塗装表面の階調が豊かになる

I use Mr.color "gross Sea blue" (C365) add a bit of white for panel lines. If I see rivet lines on it, it should be coated as well. It isn't necessary to do in any parts that has detailed panel lines and rivets. This depends on sensitivity of the individual.

10 機体左側面。コクピット周辺や内翼上面は見せ場のひとつでもでもあるので、あえて吹き残しを作り、前項までのトーンを残して階調をより多様にする

The body upper part adds other expressions, so the strength of expression is left a little.

11 外翼上面。ライン吹きでリベットラインも拾っているのでかなり情報量が多い。中央の羽布の差異も出ているが質感表現としてはほかの部分との差が弱いので、この部分の扱いのトーンを明るくすることにより、材質の違いを説明する

It's the deep expression filled in a change very much here. The difference brightness color tone in the feel of a material expressions adds more information on a fuselage.

12 マスキングテープで羽布部分だけを残して、不要な部分を覆う

I cover an unnecessary part with a masking tape.

13 Mr.カラー「グロスシーブルー」(C365)を白で明るくした色で羽布部分を塗装し、全体の明度を上げていく。均等に塗るのではなく、明るくした羽布部分を狙って重ねていき、立体感を出していくよう心がける

The brightness of the whole fuselage is being raised more. I use Mr.color "gross Sea blue" (C365) add a bit of white.

まずタミヤカラー「フラットホワイト」(XF-2)を使ってウォッシングを行なう。ウォッシングのカラーセレクトとして意外な色だが、艦載機独特の潮にさらされたイメージを表現するためのもの。林流の真骨頂でもある。同時に凹モールドに対するスミ入れも兼ねているので、一気に機体全体に施した方が効率がよい。フラットを使用するのはその方が乾燥が早いためでもある。うすめ液で希釈した塗料を筆で全体に塗り拭き取っていく。もし機体にエアブラシによるざらつきが残っているような場合は、拭き取りを容易にするために、8000番程度の細かい研磨剤であらかじめ磨いておく必要がある。

To make the wipe of enamel color smooth, I refine by about No.8000 file. I use matt color for washing process , because of the speed to get dry is much faster than glossy. The color of the fuselage is dark this time, so when the bright color is used, modulation goes out very nicely.

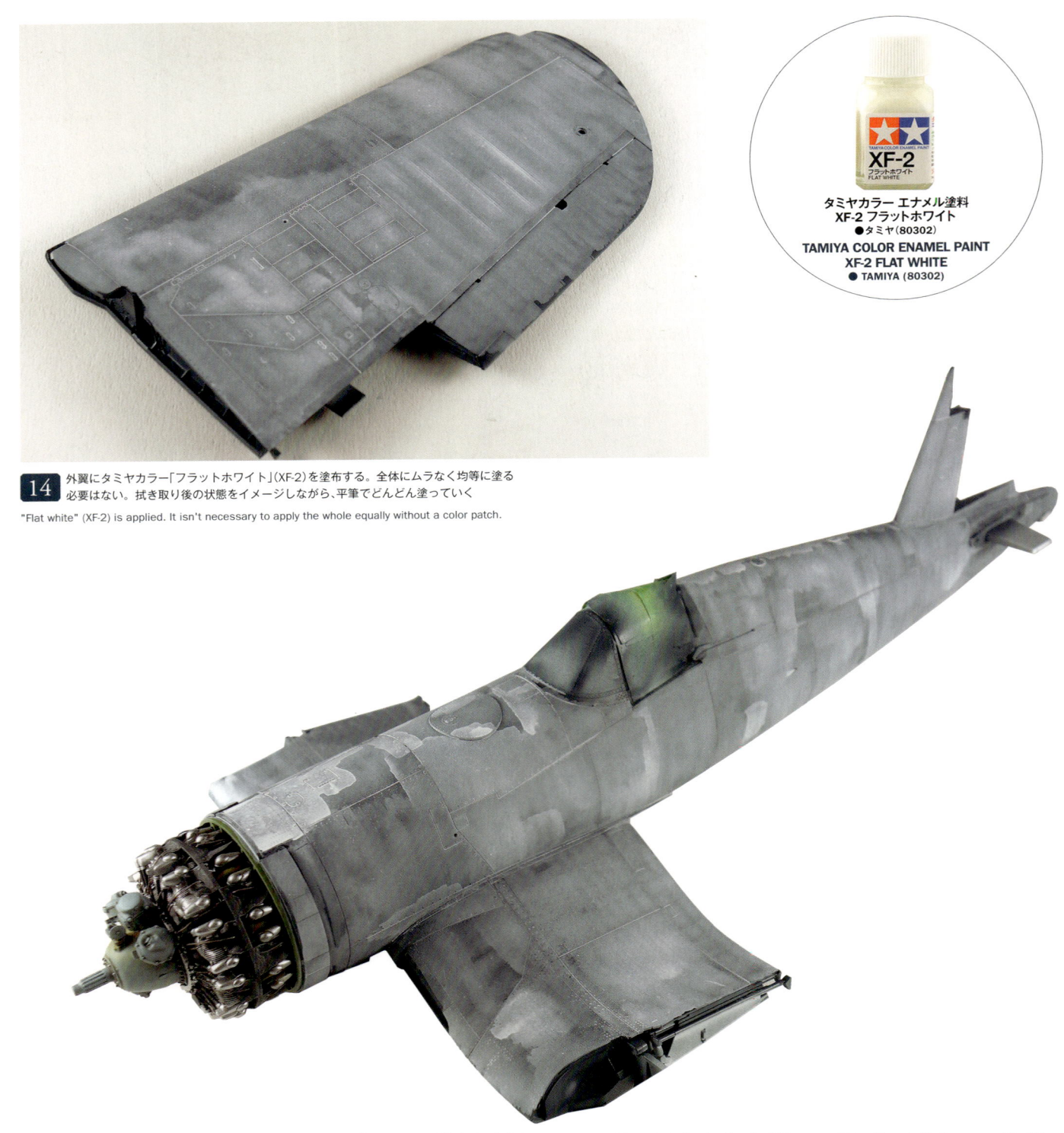

タミヤカラー エナメル塗料
XF-2 フラットホワイト
● タミヤ(80302)
TAMIYA COLOR ENAMEL PAINT
XF-2 FLAT WHITE
● TAMIYA (80302)

14 外翼にタミヤカラー「フラットホワイト」(XF-2)を塗布する。全体にムラなく均等に塗る必要はない。拭き取り後の状態をイメージしながら、平筆でどんどん塗っていく
"Flat white" (XF-2) is applied. It isn't necessary to apply the whole equally without a color patch.

15 ホワイトの塗布を終えた機体。部分ごとに緩急をつけて塗られているのがわかる。あえて筆塗りでムラを作り、濃い箇所と薄い箇所を作る事によって均一的な仕上がりにならないよう注意しながら塗装している
The density of the paint is fixation, but the thickness would be different. It's the successful point that painting in the well detailed sculpture should dry sufficiently.

16 乾燥時間を長めにとってしっかりと乾かす。次にエナメルの白を拭き取っていくが、最初は綿布で大まかに拭う。その後うすめ液を含ませた綿棒を使い、一定方向に拭き取っていく。拭き取りにくい部分は筆を使って、少しずつ拭き取っていく　　It's being wiped up in the fixation direction using the cotton swab it is soaked in thinner.

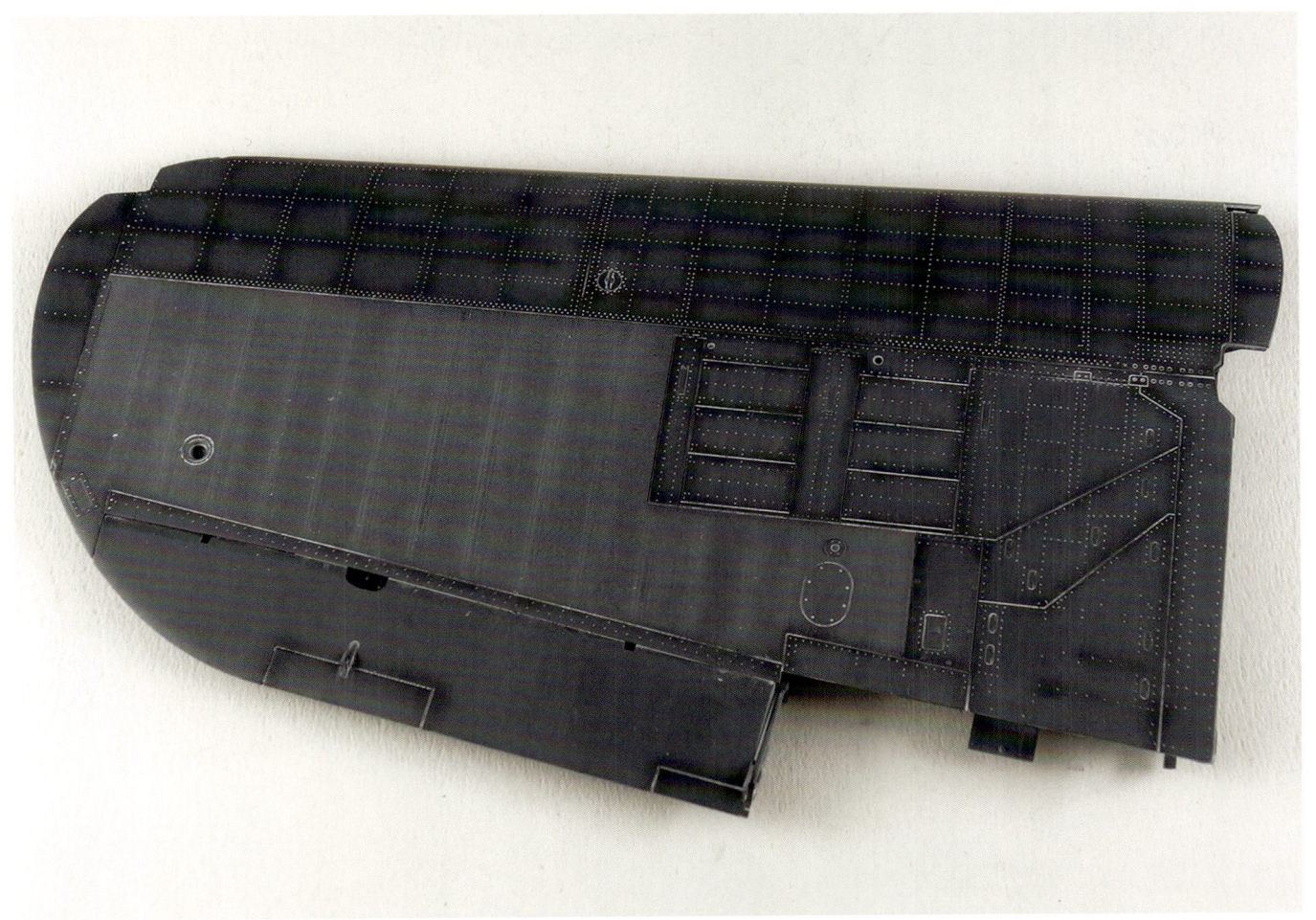

17 拭き取りを終えた外翼。羽布張り部分の拭き取りは前項の明度の差を意識しながら拭き取っている。完全に乾燥させてから拭き取っているので、細かなモールドやリベットに白がしっかり残っているのがわかる　　It's being wiped up after I make them dry perfectly. Small mold and rivet find out that white is left.

さて前頁までで基本的な塗装は完了だが、今回はマーキングも塗装で再現するため、その手前で塗装の色調の調整をしておこう。ウォッシング後の機体表面の質感や明度の違いがちょっと気になるので、明度の調整をかけていく。濃度を細吹き用まで希釈したMr.カラー「グロスシーブルー」(C365)を機体全体に、若干まだらになるような意識で薄くコートするように塗装する。均等に塗装するのではなく、気になる部分を中心に多少まだらになるようなイメージで塗装する。考え方としては薄い塗料を載せて透過させる「フィルタリング」に近い。同時にウォッシングで白っぽくなった機体の青味を復活させる作業でもある。

I'm slightly interested in the difference between the feel of a material of the fuselage surface and the brightness behind washing process, so an adjustment of the brightness is being applied. A balance is arranged by blue near semi transparency. There is meaning to take back the feature of the blue origin for this. That's parallel with the technique of the filtering gererally to say.

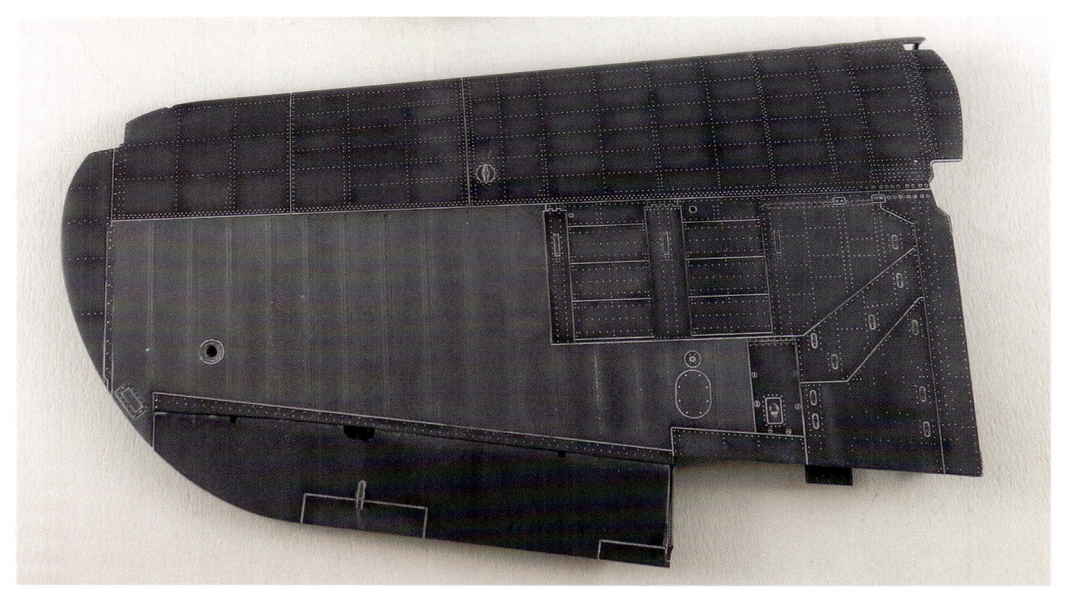

18 外翼にグロスシーブルーを塗って調整した状態。前頁のウォッシング直後の写真と比較するとよくわかるが、白くなり過ぎたエルロンなどや羽布張り部分自体も、シーブルーをかけることで明度が若干落ち、より自然な質感の差を表現することができた

I use Mr.color "gross Sea blue' (C365) with a bit of clear color which has been just adjusted by the very delicate density. The brightness falls for a short while and it's possible to express the difference in the more natural feel of a materials.

19 機体全体の調整も完了。「塗装方法を見えなくすることにより、作品の実感を演出する」のが林流の根本だが、改めて薄くシーブルーが乗ることで、今まで施した技法が調和し、まさに工程を感じさせないイメージになった

The technique done so far harmonized and was the image which doesn't make a process feel surely.

20 マスキングに使用したのは、タミヤのマスキングシート。メモリが透過しているので便利だ。切り抜いたキットのデカール等を参考に、各マークをマスキングシート上に直接作図し、切り出していく。機体に貼付後、塗装する部分以外はマスキングテープで覆う

I use Tamiya masking sheet. So it is very easy to cut into collect size of marking.

21 星と袖のみの白マーキングになる以前のものなので、外縁のブルーも塗られていた。その部分の差異も再現するため国籍マーク部分全体に白を塗るが、退色を意識してあえてムラを付ける。その上から星と袖をマスキング、Mr.カラー「グロスシーブルー」(C365)を上塗りする

The impression which degraded should express even this part. Therefore, It's better not to apply a marking of the nationality and the number too thick

22 黄色など鮮やかで明るい色は下地に白を塗るのがセオリーだが、退色を意識して下地はあえて塗らず、イエローを機体に直接エアブラシで塗装。このタイミングで主翼の黒いウォークウェイの塗装も済ませておく

It would be to apply yellow thin and bring a fascinating impression to an expression of a fuselage. I paint walkway as well before partial additional washing process.

塩マスキングによる塩害の表現を施していく。基本的なテクニックはF-14と同じ。ただし機体の形状が根本的に異なるので、施す箇所もおのずと変わってくる。上を向いていて比較的平坦な部分の方が効果が高いのはやはり同様だ。今回は翼前縁、胴体上面や熱にさらされるカウリングなどを中心に塩マスキング法を施していく。使用するマテリアル、基本的な技法はF-14の項を参照していただきたい。なお塩マスキングを施さない給油カバーは取り外し、そのほかの部分はマスキングをしておく。使用するカラーは、Mr.カラー「グロスシーブルー」(C365)を明るめに調色したものだが、下地のブルーのイメージを失わないよう、色調の確認は慎重に行ないたい。

An expression of damage from salt water by salt masking is available and the technique itself is the same way of F-14 painting procedure itself. The detail of technique consults that pages. Mr.color "gross Sea blue" (C365) is rather bright and adjusts it. The color tone is confirmed carefully so that a blue image of foundation isn't lost.

23 AKインタラクティブ「剥がれ表現液」(AK088)を少量の水で希釈したものをエアブラシで塗布し、塩の粒を撒いていく。想定していなかった範囲に付着した場合は、水を含ませた綿棒や強粘着のテープなどで除去してやり直すこともできる

I apply the AK interactive "coming expression liquid" (AK088) with a little water. I paint it very thin with airbrush. A grain of salt is being quickly scattered.

24 あくまでも演出の役割なので、やりすぎには注意したい。写真のように機体上面や翼前縁など、施す場所を先に想定して行なおう

It's the role of the delicate expression, so I'd like to pay attention to overdo.

25 塩マスキング部分への塗装が済んだら、塩をぬるま湯で除去。塩マスキング塗装部分及び今後エフェクトを施す検討を付けた箇所のみにMr.カラー「スーパークリアつや消し」(C182)を塗装して、塗膜を強化しておく

I don't overdo gray color painting so much. There is a fear that a delicate expression of foundation is put out for that. After it gets dry, salt is removed by lukewarm water. Mr.color "super clear matting" (C182) is painted and the painted film is strengthened.

26 機体上面給油キャップ部分に、燃料給油時のこぼれ・漏れの表現を施す。ホワイトガソリンを平筆に少量含ませて、何度かなぞるように塗布し、塗膜が多少溶け出した段階で止めておく。乾燥が早いので手早く作業しよう。これで燃料がこぼれて流れて乾いた時にできる筋状の汚れの表現ができた。完全乾燥後にAKインタラクティブ「フューエルステイン」(AK025)で暗い汚れを足していく

I soak a flat brush in white gas. It's applied so that I may trace several times. Painted film is the stage which has begun to melt a little, and it's stopped. Fuel spilled and flowed, and when it is drying, the quarter-like pollution is expressed nicely. Dark dirt is being added by AK interactive "fuel stain" (AK025). The characteristic dryness mark white gas brings is very fascinating.

▶白ガソリンまたはホワイトガソリンは、キャンプ用のランタンやコンロ用の燃料として販売されている、オクタン価の低いガソリンの一種だ。アウトドア用品店やDIY店で手に入る。写真は標準的な4L缶だが、1Lサイズの缶も販売されている。基本的にはプラスチックを含侵し、引火性も高いので、取り扱いや保管には充分注意しよう

▶White gas or white gas is sold as lanthanum for camp and fuel for stoves. The flammability is also high, so I pay attention to handling and safekeeping sufficiently.

追加のエフェクトとして、パネルを目安としてトーンを変えていく表現や、排気痕、部分的な塗装の剥がれ、いわゆるチッピングや汚れを加えていく。パネルのトーン付けは必ずしも実機の考証に基づくものではなく、模型としての演出の領域なので、実機に同様のトーン差があるかどうかは問わない。見方を変えれば実機で施された外版の交換・部分塗装の暗示やその履歴の違いを表現し、臨場感を持たせることができる手法でもある。

The tone of the panel isn't always based on historical investigation of a real production. It's important to incorporate historical fact into an expression, but it takes time. The degree of freedom of the expression shouldn't always be influenced by that.

27 マスキングを施し、ウェザリングカラーの「グランドブラウン」(WC02)、「マルチホワイト」(WC05)を使用して色調の差を出していくが、翼にはウェザリングカラー フィルタ・リキッドの「シェードブルー」(WC09)も併用した。効果が顕著に出やすい色なので、表面を軽く染めるイメージで行なう

The difference in the color tones is being taken out using "ground Brown" (WC02) and "multi-white" of weathering color (WC05). The part I don't want to paint should be protected by a masking tape. The weathering color "shade blue" (WC09) were also in use in a wing.

モデルカラー #013 アイスイエロー
● ファレホ (70858)
MODEL COLOR #013 Ice Yellow
● Vallejo (70858)

28 プライマーのイエローグリーンが露出したチッピングを施す。ファレホ「アイスイエロー」(70858)をスポンジを使って塗布した後、過剰な部分はエナメルうすめ液を含ませた綿棒で拭き取る。今回の作品にチッピングはあまり調和しないと思われるので、最少限にとどめる

Foundation material of a rust preventive is applied to a fuselage, and this is expressed as shown. Vallejo "iced yellow" (70858) was applied using a sponge chipping. I wipe up unnecessary painted parts by the cotton swab I soaked in enamel thinner.

タミヤカラー エナメル塗料
X-11 クロームシルバー
●タミヤ(80011)

TAMIYA COLOR ENAMEL PAINT
X-11 CHROME SILVER
●TAMIYA (80011)

29 人が頻繁に踏んだり触れたりする内翼後縁や点検パネル、あるいは風圧や加熱で剥離すると思われるカウリング前面を中心に銀のチッピングを施す。タミヤカラー「クロームシルバー」(X-11)をスポンジで点付し、余計な部分はうすめ液を含ませた綿棒で拭き取る。やりすぎないように注意しよう

A fuselage has the part exposed to the very severe environment. That causes damage of serious painting surface. A metal surface would get revealed. I use "Chrome silver" (X-11) by a sponge chipping. When this expression is performed excessively, a balance of an expression is obstructed.

30 排気管は機体下面に突き出し、あまり見せ場にはならないので、ウェザリングカラーの「マルチホワイト」(WC05)と「グランドブラウン」(WC02)を混色してエアブラシで塗装する程度にとどめた

"Multi-white" (WC05) and "ground Brown" (WC02) are mixed and it's painted by an airbrush.

機体下面の排気痕はウェザリングカラー「マルチホワイト」(WC05)と「グランドブラウン」(WC02)を混色してエアブラシで塗装。排気管自体はウェザリングマスターなどで表情を付けている

An exhaust scar in a fuselage underside mixes "multi-white" (WC05) and "ground Brown" (WC02) and paints by an airbrush.

31 プロペラは黒から立ちあげて銀塗装、剥離しやすいと思われる先端などを中心にマスキングゾルによるマスキング(F-14参照)を施してチッピング表現をした。エッジは鉛筆を使って黒味を損なわないよう、テカリの表現を付加している

Masking by a masking sol is use for tipping expression. For additional chipping, It uses a pencil for an expression of discoloration.

32 別に作業していた外翼を接着。その境界には汚れが付着しやすいであろうと仮想、同時に可動部であることも説明したいので、全体のバランスも考慮しブラウン系の汚しを施すことにする。まずその下地として、汚しの発色を助けるために、ウェザリングカラー「マルチホワイト」（WC05）とタミヤカラー「フラットホワイト」（XF-2）を混色して下地を作っておく。ふたつの塗料を混ぜることで定着や色調、隠ぺい力に変化を付けることできる

Weathering color "multi-white" (WC05) and Tamiya color "flat white" (XF-2) are mixed and foundation is made to help coloring of pollution. This gives a change to a trace of a pigment in expression.

主翼つなぎ目の下地に使用したのは、ウェザリングカラーの「マルチホワイト」（WC05）とタミヤカラー「フラットホワイト（XF-2）。このふたつを5：5で混色して筆で塗り、エナメルうすめ液を適量含ませた筆で拭き取りながらなじませる

"Multi-white" (WC05) and Tamiya color "flat white (XF-2) were used for foundation in a main wing juncture. Colors are mixed by 5:5 and it's applied by a flat brush.

33 ブラウンもふたつの塗料を混ぜることで変化をつける。筆で点付し、エナメル薄め液を含ませた筆で広げながらなじませていく。この汚しも実機の考証に基づくものではなく、模型としての演出のひとつ。仕上がり感をできるだけ明確にイメージしておくのも大切だ

That's applied a necessary part a little.

汚しに使用したのはウェザリングカラー「グランドブラウン」（WC02）とタミヤカラー「フラットブラウン」（XF-10）。使用方法は上記の白塗料と同様だが、最終的に見えるのはこのブラウン系になるので、拭き取り作業で充分にイメージを整える

Weathering color "ground Brown" (WC02) and Tamiya color "flat Brown" (XF-10) are used in this weathering expression.

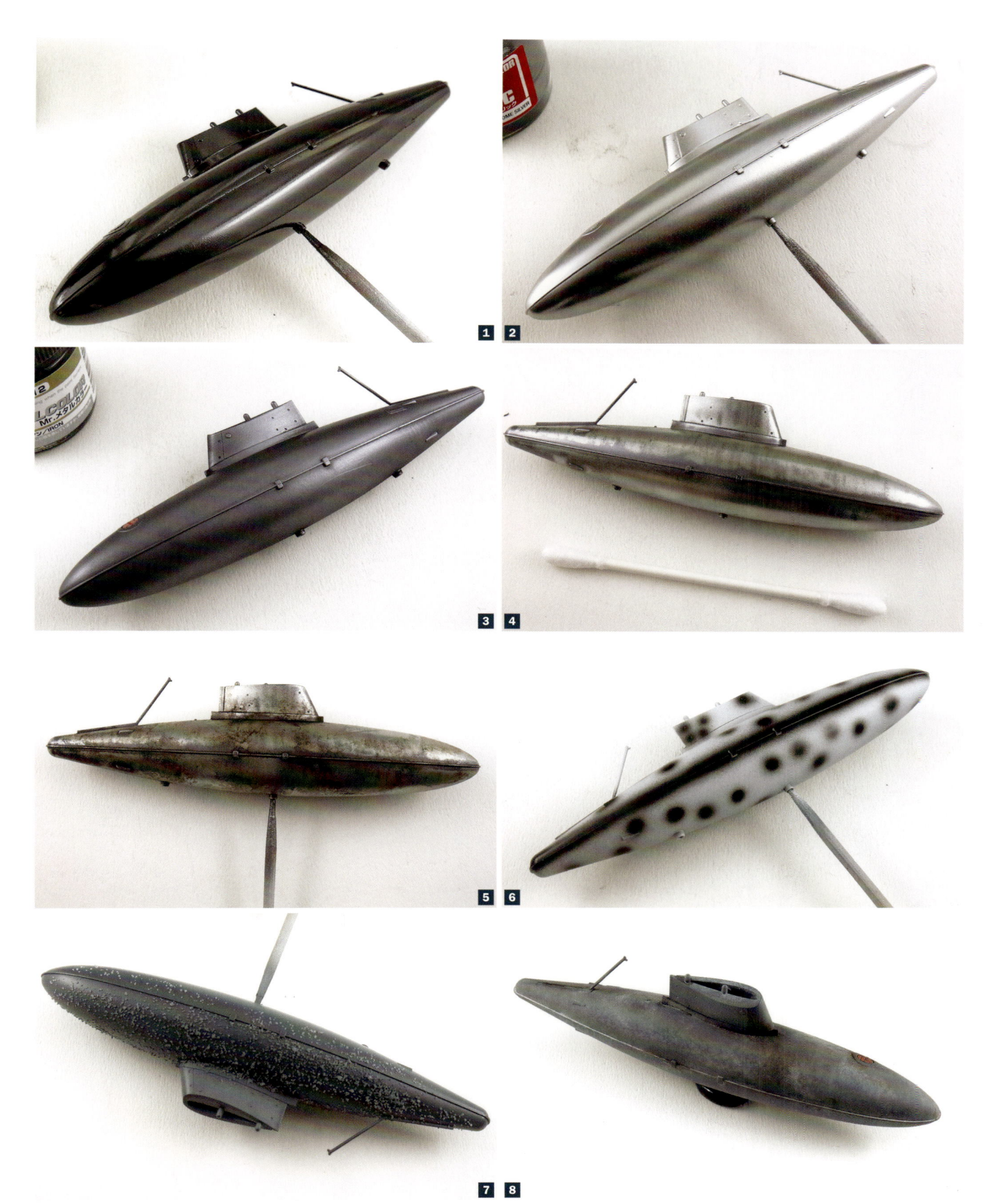

1増槽は片側のみ塗装という変則的な構成。未塗装タンクを黒で下地を塗装する。2Mr.カラー「クロームシルバー」(SM06)を塗装。3Mr.カラー「メタルアイアン」(MC212)を全面に塗装する。4乾燥後、綿布で全体を磨いて金属光沢を出した後、エナメル薄め液を含ませた綿棒で上から下に擦り落とし、使い込まれた金属表面を表現。5ウェザリングカラー「マルチブラック」(WC01)、「グランドブラウン」(WC02)を塗布、綿棒と筆で拭き取って、サビや泥汚れの表現とする。6塗装された増槽の方は、白サーフェイサー塗装後、Mr.カラー「ウィノーブラック」(GX2)で境界や表面のマダラを付けていく。7Mr.カラー「グロスシーブルー」(C365)をやや明るくした色で全体を塗装後、塩マスキング。あとは機体の塗装と同様だ。8ウェザリングカラー「マルチブラック」(WC01)、「グランドブラウン」(WC02)で先の無塗装の増槽と同様に汚しをかける。ふたつの増槽のバランスに気をつけたい

(1)It is the different taste of impression by giving background setting even in the same parts. It'll be a fascinating work and story would be seasoned.(2)Mr.color "chrome silver" (SM06) is painted after gross black color is coated.(3)Mr.color "metal iron" (MC212) is painted in a surface.(4)After it get dry, the whole part is polished by cotton cloth and metallic gloss is taken out. It's rubbed from the top in the bottom with cotton swab I soaked in enamel thinner. The metal surface used for a long time is expressed.(5)"Multi-black" (WC01), "ground Brown" (WC02) is applied, it's wiped up by a cotton swab and a brush and it's made an expression of rust and mud dirt.(6)A change in a boundary and the surface is being put with Mr.color "ueno black" (GX2).(7)The whole section is painted with the color which made Mr.color "gross Sea blue" (C365) light little. And the salt masking apply the same as fuselage painting.(8)I use "Multi-black" (WC01), "ground Brown"(WC02) for dirt expression.

Completion

完成した機体上面。様々な技法でのウェザリング
エフェクトが積層され、大戦期ならでは猛々しさ
充分だ。作り手による、いわゆる見せ場の明確な
設定が見て取れるブラウン系の集中と拡散のしか
た、また機体色のブルーに対する「差し色」として
の役割にも注目。胴体燃料タンクを囲む白線は塗
装ではなく、ハセガワ「アルミ箔フィニッシュ」
（TF924）を1.5mm幅のテープ状にカットし、白く
塗装したものを貼り付けている。機銃口に十字に
貼り付けられた駐機時の保護テープも同様だ。

The fuselage paint has almost done. The white seem line
with which a fuselage fuel tank is surrounded isn't
painting. 1.5mm of Hasegawa "aluminum foil finish"
(TF924) is being cut like a tape. It painted in white and it
stuck on the area of designation.

大胆に汚しが施された上面に対し、下面は比較的あっさり。ポイントを押さえて、緩急をほどよくつけたエフェクト作業が見えてくる。外翼フラップ下面の、ロケット弾の後焔を意識した明度差のつけ方なども興味深い。実機がそうなっている、そうなっていないという「考証」も確かに大切だが、それにとらわれない「演出」を加えることで、模型としての飛行機は逆説的に実感を帯びるという見本でもあるだろう。なによりも作り手が「楽しむこと」が大切で、それは模型を見る側にもきっと伝わるはずだ。

"Historical investigation" tends to be important issue for certain modeling. A model airplane takes on actual feeling paradoxically by adding the "acting" which isn't seized the certain fact. It's sometimes troublesome that aircrafts in the old time investigates the details. That would make scale modeling delayed. Models are never details faithful to a real production. The painting expression is also based on that. It's important to try to project the real feel of a material. Even so, it sometimes depends on imagination for an unclear part. Anyway, a modeler would be also a countermeasure to enjoy oneself.

MAX渡辺 × 林 周市

MAX渡辺との邂逅から導き出す
林 周市の本質とメソッド

Derive from encounters with MAX Watanabe Essence and method of Shuichi Hayashi

精緻な考証、究極のリアリティ。
そんな風に「誤解」され続けた林氏は、じつはそこからもっとも縁遠い。
林氏の作品に魅せられたMAX渡辺氏との
対話を通じて明かされる「告解」は、
多くのモデラーを勇気づける

写真／篠部雅貴　構成／橋本寿一

Air modeling weathering master The world of Shuichi Hayashi

林氏との出会い

──飛行機モデラーの林氏と、マックスファクトリーの社長で"ガンプラ界のスゴい人"でお馴染みの渡辺さんという、ちょっと意外性溢れる組み合わせですが、まずおふたりの出会いについて聞かせていただけますか。

渡辺 ネットというか、SNSだよね。フェイスブックに「FBプラモデル愛好会」っていう模型サークルがあって、そこに林さんが上げてた写真を見つけて、おおっ！ ってなったのがきっかけ。

林 最初は「いいねぇ！」「あ、ありがとうございます。」みたいな感じで。

渡辺 最初に見たのはF／A-18ホーネットだったかな。てっきり外国の人だと思って。よく見たら日本の人で、なんだ日本語通じるじゃん、て（笑）。浜松に僕の会社の工房があるんですよ。林さんも浜松の人だったから、じゃあそこで一度会おうよと。それが二年半くらい前だったかな。

林 で、渡辺さんの工房に作品を持っていったんですが、自分の作品を人に見せるのって、じつはその時が初めてだったんですよ。それまではサークルにも入ってなかったし、ひとりでこつこつやってた感じで。

渡辺 実際に作品みたら、これはやっぱりすごい！ ってなって、これはぜひみんなに紹介したいと。

──"ガンプラ界のスゴい人"な渡辺さんからみて、林さんの飛行機作品にはどの辺がすごかったんでしょうかね。

渡辺 うーん、なんていうかなあ……。林さんの作品は、とにかく僕が模型で表現したいこと、見たいことしかやってない。軍用機って「本気」じゃないですか。遊びで飛んでるわけじゃない。戦闘機、特にこういうF-14やF／A-18のような艦載機って、厳しい環境にさらされてるわけでしょ。雨は降ってくる、風は吹く、潮にさらされる。そのなかで演習だったり実戦だったり、だーっと飛んでってミッション遂行して燃料がなくなったらまた戻ってきて燃料入れて、壊れたところ直して、まただーっと飛んでいく。そういう「戦う機械」の凄みみたいなものが作品の表面に刻印されている感じがしたんだ。それはまさに僕のやりたいこと、見たいものでもあって、モビルスーツでもMa.K.でも、実機のあるなしの違いはあってもそれは同じなんだよね。そういう彼がやりたいこと、表現したいことがダイレクトに伝わってきた。しかもひとつ作ったら終わり、じゃなくて、林さんはどんどん作るでしょ。ああ表現したいんだなあって感じるね。

作る速さ、作る数

──林さんはもっぱら1／32の、いわゆるビッグスケールキットを作られているわけですが。

林 飛行機模型は主に1／72、1／48、1／32っていうスケールがあるわけですけど、まず1／72は小っちゃいなあ、と。あんまり細かい作業は得意じゃないんで。最初の頃は1／48も作りましたけど、ちょうど各社から1／32の良質なキットが発売された時期でもあったので、自然とそっちに行きましたね。

渡辺 たぶん林さんにとっては「大きいキット」じゃないんだよ1／32は。自分のやりたいことを込めるのにちょうどいい大きさ、それがたまたま1／32だった、っていうことじゃないのかな。

林 そういうことですね。

──林さんは手が早いモデラー、と伺いましたが。

渡辺 林さん今年（2017年9月）に入って何機作った？

林 えーと、去年からのやりかけも含めて数えると、10機ですね。

渡辺 ほらね。いまは9月末でしょ。とにかく早いのよ。

林 私塾講師が本業なんですけど、仕事の波があるんで、時間のある時にがーっとやっちゃう。日を置くというか製作が途中で止まっちゃうのが嫌なんですよね。そのかわりひとつ完成するとしばらく模型に触らないです。

渡辺 どれくらい？

林 2週間くらい。

渡辺 えっ、でもその間に組立くらいはしてるんでしょ？

林 いや、一切触らないです。

渡辺 へー。それだけ作業に集中するんだね。

林 このトムキャットを作った時は、手に帯状疱疹が出ちゃって。

──えーっ。

林 ストレスですかね。それくらいこの作品（2017年11月号ス

ケールアヴィエーション表紙のF-14）は結構ストレスかかりました。じつは最初の塗装は違っていて、もっと青味が強かったんですけど、これは違うな、と。で、重ね塗りを繰り返して修正したんです。でも完全にその青みを殺してしまうのではなくて、主翼とかには残してるんです。同じ機体のなかでも部分的に表現を変えてるんですよ。エラーしちゃった部分をあえて残して変化を付けてます。

渡辺 このF-14は気に入ってる？

林 いや、気に入ってないですね（笑）。

渡辺 でも直そうとは思わないでしょ？

林 思わないですね。

渡辺 そこだよね。気にいっても気に入らなくても完成。はい次いこ次！ っていう。いま思ったけど、林さんは、一生に一度の大傑作をものにしてやろうとか、たぶん思ってないよね。

林 思わないですね。

渡辺 でも多くのモデラーはそう思ってるんだよね。でも一生できない（笑）。なぜなら作る数が少ないから。林さんはどんどん作って、どんどん失敗してどんどん成功して、失敗も成功もどっちの経験値も上げていくことの大切さを体感的に知っている。そこがすごいところ。1年に1機しか作らない人と、10機作る人がいるとすれば、5年後の完成数はかたや5機、一方は50機。45機分の経験値の差が出るわけで。それってすごい差だよ。1年に1機が仮に10機分の労力を費やして作った1機だとしても、それは結局1機分の経験値でしかないんだよね。だからこそたくさん作る、早く作るってことは大切だと思うな。

林流 エラーとの付き合い方、活かし方

──林さんは自己紹介で、ご自分の製作スタイルについて「毎回起きるエラーを逆手にとって……」といった表現をされてるんですが、その「エラー」と「逆手」という部分をもう少し詳しく教えてもらえますか。

林 僕の中で「エラー」はふたつあって、ひとつは技術的なエラー。こういう結果を狙ってこういう技法を使ったのにその通りにならない、っていう。どうして狙った通りにならなかったのか、その理屈を知れば、別の結果を狙うときに応用ができるだろうと思うんですね。そうやって自分のなかで技法を確立していくこと。もうひとつは作品全体のイメージの問題。こっちはもっと大切で、なんか気に入らない、っていうか、さっきのトムキャットの例みたいに、自分のイメージと違う作品になっちゃった場合にも、そのプロセスとか結果とかをちゃんと経験値として取っておいて参考例にすることで、次にまた新らしい作風を産む糧になると思うんです。だからもういやだ、もうやらない、ってはならないです。

──失敗も、成功と等価値としてちゃんと向き合って、将来の作品に役立てていくということですね。

渡辺 いずれ使うけどいまじゃない、と。

林 そうです。それがやってて一番おもしろいですね。失敗って誰だって嫌じゃないですか。もうやめた、ってなっちゃう。でも失敗で得られたことって、自分だけのものですよね。単に失敗を否定するんじゃなく、ちゃんと自分のなかにファイリングしておいて、次の作品に活かしてやろう、と。

渡辺 どんだけ前向きなんだと（笑）。

我流の技法を積み上げる楽しさ

──モデラーの常道として、雑誌を参考にしたり、人に聞いたりして塗装やウェザリングの一定のセオリーを学ぶっていうのがあると思うんですが。

林 ホントそこは申し訳ないんですが、じつは僕、模型雑誌ってほとんど読まないんです。

渡辺 なんとあるまじきこと（笑）。

林 まったくの白紙から、っていうわけではないんですが、僕は出戻りモデラーで、いまのスタイルになってから8年くらいなんですが、いまはネットで基本的な手法の情報とかはたくさん拾えるじゃないですか。そういうのをベースに、いまの方法論に行きつくまでの過程は自分で作り上げたものなんですね。人の作品ももちろん参考にさせてもらうんですが、うまい、へたというよりも、その人がどこに目を付けて何を表現してるのかっていう、そういう見方をしてますし、そういう風に人の作品を見るのが好きですね。そこにある技法を盗もうとかは全然思わないです。逆に自分で見つけて

いくのが楽しいですね。

人の眼・自分の眼

林 一時期、実機の完全再現にすごくこだわってたこともあるんですよ。この汚れはどうしてできたんだろうとか、すごくロジックに実機の汚れのでき方とか成り立ちを考証していって、自分の手癖みたいなものをあえて禁じてた。でもそれってやってると、すごく疲れるんですよ（笑）。なにが悪かったのかなあって思うと、作品を人に見られて評価される立場になったことが原因だったのかなって。人の眼を気にし出したら、途端にセンスが狂っちゃって。

渡辺 ふーん。意外だなあ。

林 なにをすべきかわかんなくなっちゃった。それで変な方向に行っちゃった時期もあったし。

渡辺 変な方向？

林 人の求めているものに応える作品を意識するようになっちゃった。

――なにを求められていたんでしょう。

林 僕の作品を、主に写真を通して見た方に「本物みたい」っていう感想を言われることが多いんです。そうか、俺が作ると本物みたいに見えるのか、と。じゃあより本物を意識したり、考証をした作品にしないといけないんじゃないかって、自分のなかに縛りを作っちゃって、すごく窮屈になっちゃった。でもそれって、がんばったところでそんなにパッと見で差が付くものでもないし、これはまずいんじゃないかって。

渡辺 そこを抜けるためには、どうしたの。

林 えーと、人の感想は無視する（笑）。もうどうでもいいかなって。むしろ自分自身が納得いくことをやっていった方がいいし、結果的に周りの人たちにもいいかなって。

渡辺 みんなが林さんの作品に期待する実機の「再現」から、自分の求める実機の「表現」に切り替えたわけだ。

林 例えばいまはウェザリングを施した作品を主に作ってますけど、汚しをしないでキレイに仕上げることを否定してるつもりはないんですよ。そうあるべき飛行機はそう作るべきだし。汚しをする、しないじゃなくて、最初にどういうイメージに仕上げるか決めるっていうのがすごく大事だと思ってるんです。そのためには実機の資料とか写真をたくさん集めて自分の中でイメージを紡ぎだすというか。いまはネットでも豊富に手に入るし。特定のものだけを考証して、これこそが正解、って決めつけたりするのではなくて、あんなものもあるこんなものもある、これもいいな、あれもいいな、これはちょっといきすぎかな（笑）。とか、そうやってイメージを膨らませていくということをしています。さっきイメージに沿わないエラー、っていう話をしましたけど、イメージの設定が未熟なためにうまくいかないという場合というのもあると思うんで

数をこなして
初めて見えてくるものって、
あるんだよね。（MAX渡辺）

まずは自分自身が納得いくこと。
結局それがすべてかな。（林）

すね。それはそれとして自分のなかにちゃんとサンプルとして残しておく。僕にとって過去の作品は、その時やったことの見本なんです。

模型作りの「ライヴ感」

渡辺 でも自分の過去作はキライじゃないでしょ？

林 まあ、そうですね。

渡辺 たまに眺めて、いい仕事してんじゃんオレ、みたいな（笑）。でもここは全然だめだなあ……とか。そういう意味じゃ、彼と僕は似てるんだよね。それはモチーフがモビルスーツでも、Ma.K.でも、そこは同じなの。

林 あまり過去作にはこだわりがないんです。それはその時の気分とかその時の技術とか置かれた状況とかで、その時だけ、その時にしかできなかった作品だから。

渡辺 過去のものは過去のもの。よし、じゃ次行こう！　っていう。

林 F／A-18をたくさん作ってますけど、別にホーネットがとびきり好きなわけじゃなくて、作り慣れてるし、自分のやりたい技法や表現が込めやすいから、というただそれだけなんですよね。

渡辺 言い換えれば、林さんの模型作りってすごく「ライヴ」なんだよね。1／32 F／A-18は、彼にとってサックスだしギターみたいなもんでさ。ライヴだからこそ「その時だけできた演奏」っていうことだし。慣れたキットを早く組み上げて、早く塗りたい！っていう思いを感じるんだ。僕はトライアスロン競技をやってるんですけど、あんな苦しいことなんでやるのかっていうと、いい成績を残したいっていう欲求も一方であるけども、それよりもやっぱり、完走したぜイエーッってみんなで喜び合って、みんなで乾杯してっていう、結局そういう何物にも代えがたい達成感とかその時にしか味わえない喜びをみんなと共有したいっていうだけなんだよね。

――なるほど。それもやっぱり、その時そこでしか味わえないライヴ感ですよね。

渡辺 僕は林さんのようには作れないから、林さんの作品を通して林さんの「いま」が反映されたライヴ感や、楽しさを味わっていたいんだよなあ。

林 僕、キットを組み立てたりの工作の部分って、じつはあんまり好きじゃないんですよ。できれば誰か他の人にお願いしたいくらい（笑）。それよりも、いま渡辺さんがおっしゃったように、早く塗りたい。試したい。いまは組み立てやすいキットがたくさん発売されているし、工作の部分って、仕上がってみるとあんまり差が出ないんですよね。組み易いキットを選べば、その分塗装に割ける時間は多くなるし。僕が出戻りした頃って、タミヤとかトランペッターの組み立てやすいキットがいっぱい発売されていて、そんな環境だったから。もう工作の高低で競い合う時代じゃないんだな、と。だから自分の本懐である「塗装」にシフトしやすい状況ですよね、いまは。

渡辺 そういう意味ではほんと恵まれてるよなー。

林 とはいえこのMi-24なんかは、パネルラインとリベットを深くさらったりはしているんですよ。そうじゃないとここまではっ

きり出てくれない。工作しなきゃ、ではなく塗装した後の成果を期待して工作をしています。ただ僕へたくそなんで（笑）、スジボリの過程でよれたりずれたりしているんですけど、それがまた実感になったり。最初にある程度イメージをもって作ってるんで、これくらいならそんなに気にならないなあ、とか、キットの箱を開けた時にも、これはちょっと浅いなあ、とかだいたいわかりますね。

渡辺 それは林さんが、数をこなしているからこそ見切れる部分だよね。

林 だから僕にとって工作は、それがもたらす精密感というよりも、塗装後の質感を期待して、という感じですね。

飛行機模型の『自由』とは

──いいキットがたくさん発売されていて、そんなに付加工作に血道をあげなくていい時代になって、飛行機模型の自由度ってだいぶ上がったはずなんでけど、その自由をあまり活かしている人が少ないというか。

林 タミヤの新製品、コルセアだとかトムキャットだとか、すごく組みやすいキットが発売されているのに、ベテランモデラーの人は意外と作らないんですよね。あれは簡単だから、誰にでも組めるから、っていう理由で。

渡辺 それは「工作」っていうその人たちの得意技が出せないからだよね（笑）。タミヤのキット組んだって誰も褒めてくれないもん、っていう。もったいないですよ。もっとガンガン作ってガンガン塗ろうよっていう。それができる時代なんだしね。

林 逆に言えば、そういう時代じゃなかったら僕みたいなモデラーは存在できなかったかも、って思うことがありますね。SNSとかでお互いに作品を共有して思うことは、もちろん良い面もあるのですが、承認欲求が強すぎたり、人の眼を気にしすぎるというか、他人と違うことがそんなにダメなのかな、とか、そんな感じを受けちゃ

う時があるんです。誰もが実社会では、会社や学校で右に引っ張られたり左に引っ張られたりしてるわけだから、せめて模型の世界くらい自分の軸を真ん中において、自由にやっていいと思うんですけどね。優れてる、劣ってるじゃなくて、これはおもしろい着眼点だよねっていうか、そういう作品が僕は見たい。最近は実機に近づけるというより、自分のテイストというか、嘘を程よく混ぜて作るようになってます。本当と嘘を混ぜて出せば全部本当になっちゃう。そういう世界ですから。

渡辺 うーん。まさにその通り。

林 自分のやってることに飽きないとだめですね。数をこなして、単に履歴として自分が毎回やってることに飽きて、ちょっと別な方法を試してみる。そうしないと新しい発見もない。それをどこまでやるかっていうのも自分で決めていいんだと。僕の作品はリアル、ってよく言われますけど、じつはそんなにリアルであることにこだわってるわけじゃないんですよ。自分のなかで育ったイメージを表現することが、やっぱり一番したいことなんですよね。

渡辺 でもやっぱり人に作品を見られる、ってことはいいことだよ。林さんも人の眼にさらされて、人の評価と自分のやりたいこととのギャップで悩んだ経験があったからこそ、いまがあるわけだから。ただしだからといって人の話を全部無視するのも違うし、かといって聞きすぎるのも違うし、難しいところだよね。

──最後に、林さんより若いモデラーの方にメッセージみたいなものってありますか。

林 僕が言うのもおこがましいんだけど、僕より年下のモデラーは、僕よりもっと自由だし、自由であってほしいと思うんですよ。既存の「作法」にとらわれず、もっと自分のやりたいことを大切にした方がいいと思うんです。ただでさえ面倒な飛行機模型ですから、既存のセオリーに縛られずに、みんなが自分のイメージや自由を大事にするっていうことが、結果的に飛行機模型の敷居を下げていくのかなあと思います。

MAX渡辺●1962年生まれ。東京都出身。株式会社マックスファクトリー代表取締役でありプロモデラー。ガンプラの世界では知らない人はいないと言っても過言ではないが、実はヒコーキ模型も大好きで、飛行機模型専門誌『スケールアヴィエーション』でも度々作例を発表している

エアモデル・ウェザリングマスター
林 周市の世界

Air modeling weathering master The world of Shuichi Hayashi

著者　　　林 周市
編集　　　石塚 真
編集協力　橋本寿一　関口コフ　佐藤南美

デザイン　海老原剛志
撮影　　　インタニヤ

発行日　　2018年 6月 7日　初版第1刷
　　　　　2025年 1月 2日　　　第4刷

発行人　　小川光二

発行所　　株式会社 大日本絵画
　　　　　〒101-0054 東京都千代田区神田錦町1丁目7番地
　　　　　Tel. 03-3294-7861（代表）
　　　　　URL. http://www.kaiga.co.jp

企画・編集　株式会社 アートボックス
　　　　　〒101-0054 東京都千代田区神田錦町1丁目7番地
　　　　　錦町一丁目ビル4F
　　　　　Tel. 03-6820-7000（代表）　　Fax. 03-5281-8467
　　　　　URL. http://www.modelkasten.com/

印刷・製本　大日本印刷株式会社

◎内容に関するお問い合わせ先：03（6820）7000　㈱アートボックス
◎販売に関するお問い合わせ先：03（3294）7861　㈱大日本絵画

Publisher: Dainippon Kaiga Co., Ltd.
Kanda Nishiki-cho 1-7, Chiyoda-ku, Tokyo 101-0054 Japan
Phone 81-3-3294-7861
Dainippon Kaiga URL. http://www.kaiga.co.jp
Copyright ©2018 DAINIPPON KAIGA Co., Ltd. ／ Shuichi Hayashi
Editor: ARTBOX Co.,Ltd.
Nishikicho 1-chome bldg., 4th Floor, Kanda Nishiki-cho 1-7, Chiyoda-ku, Tokyo 101-0054 Japan
Phone 81-3-6820-7000
ARTBOX URL: http://www.modelkasten.com/

ISBN978-4-499-23239-5